QUI A PEUR DE VIRGINIA WOOLF ?

Né le 12 mars 1928, Edward Albee est adopté à l'âge de quinze jours par un couple fortuné, Reed et Frances Albee. Dès l'enfance, il est attiré par le théâtre : son père travaille avec son grand-père qui est entrepreneur de spectacles. Il fréquente de bonnes écoles, mais trop irrégulièrement à son gré, car ses parents l'emmènent dans leurs voyages d'agrément. Cette jeunesse de luxe ne lui laisse que de l'aigreur.

Après diverses tentatives dans le domaine du roman et de la poésie, il écrit une pièce en un acte, The Zoo Story (1960), que l'Allemagne sera la première à monter (comme The Death of Bessie Smith). Accueilli d'abord « off Broadway », c'est-à-dire dans les théâtres d'essai, Edward Albee est considéré très vite comme un auteur dramatique de premier plan, appartenant à l'école du « théâtre de l'absurde », appellation qu'il récuse d'ailleurs.

Lui-même se dit disciple de Jean Genêt. Les critiques des États-Unis lui voient plutôt une parenté avec Thornton Wilder et Eugene O'Neill. Il a obtenu de nombreuses récompenses, en particulier pour Qui a peur de Virginia Woolf ?

Au contraire de ce qui se passe en France, les universités américaines sont, pour la plupart, des institutions privées subventionnées par des philanthropes qui ont droit de regard sur l'administration des bâtiments universitaires (le campus) et sur l'enseignement des professeurs. Pour ceux-ci, il est donc préférable d'être bien avec le doyen, maître suprême qui détient entre ses mains leur carrière... et leur gagne-pain.

Cet état de dépendance est un des ressorts de la pièce et l'un des sujets de sarcasme dont Martha s'amuse à cingler son mari, George : c'est, en effet, dans un campus que se situe l'action imaginée par Edward Albee, et Martha est la fille du « grand patron »; elle a épousé il y a vingt ans George, alors jeune espoir de la section d'histoire, son cadet de six ans.

Aujourd'hui, ils rentrent d'une soirée organisée par le doyen. Martha a convié un collègue et sa femme, Nick et Honey, à finir la nuit avec eux. Elle a bu. Trop. Alors commence l'empoignade la plus extraordinaire qui soit. Sous ce flot de vitriol qui n'épargne personne, pas même les invités, la vérité des êtres se dégage peu à peu des fantasmes et des complexes de la société établie, cette bête noire d'Albee.

D1464269

EDWARD ALBEE

Qui a peur
de Virginia Woolf?

(WHO'S AFRAID OF VIRGINIA WOOLF?)

ADAPTATION FRANÇAISE ET PRÉFACE
DE JEAN CAU

Version intégrale

ROBERT LAFFONT

© Edward Albee, 1962. Robert Laffont, Paris, 1964.

Pour Richard Barr
et Clinton Wilder.

PRÉFACE

*Je voudrais dire le choc que je reçus lorsque je lus,
d'une traite, la pièce d'Edward Albee. Je voudrais dire
cette émotion — brutale — qui ne trompe pas lorsqu'on
est mis en face d'une œuvre dont on sait qu'elle va appar-
tenir, désormais, au trésor de votre mémoire. Je voudrais
dire mon émerveillement chaque jour plus émerveillé lorsqu'il se fut agi, pour moi, de travailler pendant des
semaines sur ce chef-d'œuvre, sur ce diamant que je
maniai avec un infini respect et que je taillai avec d'in-
finies précautions afin qu'il brillât (pour des lecteurs et
un public français) de ses mille facettes et qu'il projetât
son plus brûlant éclat.*

*

*Edward Albee a bouclé quatre fauves dans ma cage.
Quatre personnages, dans un salon, vont vivre la plus
singulière et la plus normale, la plus burlesque et la
plus tragique, la plus atroce et aussi — la plus tendre
des nuits. Il y a là George, professeur d'histoire, marié
depuis plus de vingt ans à Martha, fille du grand patron
de l'université. Il y a là Nick, jeune professeur tout*

fraîchement arrivé pour enseigner la biologie dans cette université. Enfin, il y a Honey, *son épouse.*

La pièce commence comme George et Martha rentrent chez eux, au retour d'une réception donnée par le père de Martha. Celle-ci apprend à George qu'elle a invité le jeune professeur de biologie et son épouse à venir prendre un verre... Il est deux heures du matin. Et arrivent Nick et Honey...

Alors va éclater, entre George et Martha, la plus fantastique scène de ménage qu'écrivain de théâtre ait jamais conçue. Scène de ménage truquée, car, pour George et Martha, il ne s'agit que de prononcer, cette nuit-là, les aveux les plus étranges et les plus déchirants de leur vie. Pourquoi devant témoins ? Pourquoi devant Nick et Honey ? Parce que ces aveux doivent être inéluctables. Parce que certain rêve qui liait ces deux êtres par le plus secret des liens doit, précisément cette nuit-là, être détruit. Parce qu'il n'est plus possible de défier la raison (même lorsque ce défi n'est que le secret le plus secret d'un homme et d'une femme) sans courir le risque d'être aspiré par les abîmes de la folie.

Alors, tout au long de cette nuit-là, à coups de sincérités tantôt hurlées et tantôt hoquetées, à coups de ruses et de mensonges, à coups d' « énormités » et de vraisemblances, George et Martha vont expulser la folie de leur âme et de leur corps. D'abord ils joueront à mettre en scène leurs rapports et leur drame, mais bientôt la machine est en marche, qu'il sera impossible d'arrêter. Ils avaient « monté » un rêve, puis le rêve est devenu trop fou. Avant qu'il ne soit monstre qui dévore à jamais leur raison, il faut faire quelque chose. George le sait. George ira jusqu'au bout afin de pouvoir, à la fin de ce voyage au fond de la nuit, sauver Martha des derniers désespoirs.

L'aube se lève, les démons sont exorcisés. Il ne reste plus à George et à Martha qu'à s'aimer avec les moyens du bord, avec les pauvres moyens de l'humble raison et de la vie, avec l'infinie tendresse de ceux qui savent qu'ils n'auront plus d'espoir mais qu'ils marcheront, solitaires et unis, vers le dernier rivage. Nick et Honey, aspirés par le tourbillon, secoués par la tempête, se retrouveront nus. Les témoins qu'ils étaient sont devenus complices et, pour avoir approché de trop près la passion de George et de Martha, eux aussi désormais n'auront d'autre recours que de s'avancer, les yeux ouverts, vers ce que sera leur vie.

Edward Albee a fabriqué une bombe à je ne sais quel uranium. Il l'a agencée et réglée d'impitoyable façon. Le rideau s'ouvre et elle explose. Les réactions en chaîne inexorablement se produisent. Réplique après réplique, scène après scène, acte après acte, décors et apparences sont soufflés et s'écroulent. Restent, à la fin, transis et nus, deux hommes et deux femmes qui vont tenter de vivre comme se lève, au-dessus de ce paysage rasé, le froid soleil d'une aube nouvelle.

Mais qu'on ne s'y trompe pas : George et Martha sont des héros. Même si leur démarche titube, même si les pitreries les plus insensées les font zigzaguer, regardez bien comment ils s'avancent au cœur de leurs ténèbres. Avec quel courage. Avec quelle force. Avec quelle terrible lucidité. Avec quelle sombre Passion. Ils marchent, rampent, titubent et se traînent vers le faîte. Et là, la statue qu'ils y dressent, vacillante, qu'on ne s'y trompe pas, elle est celle de la plus haute et de la plus grave tragédie.

JEAN CAU

Cette pièce présentée par Vera Korène et Lars Schmidt a été jouée pour la première fois en France au Théâtre de la Renaissance, le 1er décembre 1964, dans une mise en scène de Franco Zeffirelli, décor de Fiorella Mariani, avec la distribution suivante :

MADELEINE ROBINSON, dans le rôle de Martha.

RAYMOND GÉROME, dans le rôle de George.

PASCALE AUDRET, dans le rôle de Honey.

CLAUDE GIRAUD, dans le rôle de Nick.

Cette pièce a été jouée pour la première fois le 13 octobre 1962 à New York, Billy Rose Theatre.

PERSONNAGES

MARTHA

Elle va sur ses cinquante ans. C'est une femme grande et solide avec une sorte de beauté ravagée mais présente. Une « nature » encore très forte malgré les violences d'un tempérament et d'une vie qui l'ont marquée.

GEORGE

Son mari. Plus jeune mais grisonnant. Il porte assez beau, mais comme si cela était l'objet — de sa part — d'une attention permanente. Au contraire de Martha, George n'est pas une nature *mais une* intelligence. *Si Martha est redoutable, George, au fil des actes, est inquiétant.*

HONEY

26 ans. Blonde. Mince. D'un angélisme nerveux et toujours prêt à basculer dans l'hystérie. A la fois Ophélie et petit monstre sec.

NICK

28 ans. Son mari. Costaud. Blond ou roux. Cheveux coupés court. Paraît taillé d'une pièce. Est en vérité un fonceur opportuniste animé de ruses simples mais efficaces.

ACTE PREMIER

JEUX ET MASQUES

La scène est dans l'obscurité. Bruit de porte
que l'on secoue et que l'on heurte. La
porte s'ouvre comme s'allume l'électricité.
Martha entre suivie de George.

MARTHA

Elle jure comme quelqu'un qui a beaucoup
bu — encore qu'elle « tienne » fort bien
l'alcool — et qui a pour le monde exté-
rieur un mépris écœuré d'ivrogne. Elle
écarte violemment une chaise.

Ha! saloperie de saloperie...

GEORGE

Chchchchut!...

MARTHA

... de baraque!...

GEORGE

Doucement, Martha, il est deux heures du matin
et...

MARTHA, comme si George venait de dire
une énormité.

George!...

GEORGE

Ecoute, je suis navré, mais...

MARTHA, l'interrompant. Ecœurée.

Mais t'es un pauvre type!... Un pauvre type!...

GEORGE

Il est tard, tu sais, très tard...

MARTHA

Elle jette un regard circulaire. Elle prend
une voix lasse — et conventionnelle —
d'actrice de cinéma.

« Quel trou sinistre!... » *(Voix normale.)* Hé! ça
te rappelle rien, ça? « Quel trou sinistre!... » D'où
ça vient?

GEORGE

Comment veux-tu que je sache...

MARTHA, obstinée. Lasse.

Hooo, ta gueule!... Je te demande d'où ça vient.
Cherche!...

GEORGE

Martha...

MARTHA, de plus en plus obstinée. Très haut.

D'où ça vient, cette connerie? Dis-le!...
Cherche!...

GEORGE, avec cette patience lasse
qu'on a pour les ivrognes.

D'où ça vient... *quoi ?*

MARTHA

Ce que je viens de dire, là, tout de suite... Ça...
(Comme si elle répétait une scène devant une caméra.)
« Quel trou sinistre!... » Hein? D'où ça vient?

GEORGE

Je ne sais pas... Je n'en ai pas la moindre idée...

MARTHA

Pauvre type!... *(Comme si elle expliquait à un
crétin.)* Ça vient d'une connerie de film avec
Bette Davis... d'une de ces conneries de superproduction...

GEORGE

Comment veux-tu que je me rappelle tous les
films que...

MARTHA

Qui te demande de te rappeler toutes les conneries de superproduction d'Hollywood... hein? Rien
que d'une... Rien que de celle-là... *(Un temps.
Elle fait un effort pour se souvenir.)* A la fin, y'a
Bette Davis qui attrape la péritonite... ouais...
et elle porte une perruque qui fait peur... et elle
attrape la péritonite... et... elle se marie avec
Joseph Cotten ou avec quelque chose dans ce
genre-là...

GEORGE, corrigeant.

... avec quelqu'un...

MARTHA

... et puis elle veut tout le temps aller à Chicago parce qu'elle a envie de coucher avec cet acteur qui a une cicatrice... et elle tombe malade... et alors elle s'assied devant sa coiffeuse et...

GEORGE

Quel acteur? Qui a une cicatrice où?

MARTHA

J'arrive pas à me rappeler son nom, bon Dieu!... Et comment s'appelle le film? Je veux savoir comment s'appelle ce film?... *(Un temps et comme si elle reconstituait des scènes pour éveiller le souvenir.)* Elle s'assied devant sa coiffeuse... et puis elle a une péritonite... et puis elle essaie de se mettre du rouge à lèvres... *(Hésitation comme s'il s'agissait d'elle, faisant cet acte-là.)* Mais elle peut pas... et elle s'en met plein la gueule... *(geste)* ... et puis elle décide d'aller quand même à Chicago...

GEORGE, claquant des doigts.

Chicago!... Ça s'appelait *Chicago!*...

MARTHA

Hein?... Quoi?

GEORGE

Le film s'appelait *Chicago*.

MARTHA, découragée comme devant un cancre.

Ah là là!... vraiment tu sais rien!... Rien!...
Chicago, c'était une comédie musicale des années 30
avec la môme Alice Faye... Tu sais rien!... rien!...

GEORGE

C'est que ça n'est pas de mon temps, tu comprends...

MARTHA, l'interrompant.

Ça va!... Ferme-la!... Bon!... Dans le film...
Bette Davis rentre chez elle... et elle a passé la
journée dans une épicerie...

GEORGE

Elle est épicière?

MARTHA, toute à son idée.

C'est une bonne ménagère : elle a acheté des
choses... Alors elle rentre chez elle avec ses
paquets... elle rentre dans le minable salon de la
baraque minable que le minable Cotten a louée...

GEORGE

Ils sont mariés?

MARTHA, vivement.

Oui, ils sont mariés... Ils sont même mariés l'un
à l'autre et toi tu es un connard!... *(Un léger
temps.)* Alors elle entre... elle regarde comme ça
autour d'elle... elle pose ses paquets... et elle dit :
« Quel trou sinistre!... »

GEORGE

Tiens, tiens...

MARTHA

Un temps.

Elle en a plein le dos...

GEORGE

Un temps.

Tiens, tiens...

MARTHA

Un temps. Lasse.

Alors, comment il s'appelle ce film?

GEORGE

Mais je ne sais pas, Martha...

MARTHA, *aboyant.*

Mais cherche!... Réfléchis!...

GEORGE

Je suis fatigué, mon chéri... Il est tard et puis...

MARTHA

T'es fatigué? Çà!... Et pourquoi? T'as rien fichu de toute la journée, tu as pas eu de cours ni rien...

GEORGE

Mais je suis quand même fatigué... Ces soûleries du samedi soir qu'organise ton père... ça me tue.

MARTHA

Tant mieux! C'est comme ça!

GEORGE, bas.

Oui, je sais, c'est comme ça...

MARTHA

D'ailleurs qu'est-ce que tu as fait à cette soirée? Rien... Comme d'habitude... Monsieur s'assied et parle... et c'est tout.

GEORGE

Et qu'est-ce que je devrais faire? Me conduire
comme toi, peut-être? Beugler toute la soirée
devant tout le monde?

MARTHA, hurlant.

JE NE BEUGLE JAMAIS!...

GEORGE, conciliant.

D'accord, d'accord... tu ne beugles pas.

MARTHA, morne.

Je ne beugle pas.

GEORGE

C'est ça... c'est ce que je dis : tu ne beugles pas.

MARTHA, boudeuse.

Donne-moi un verre.

GEORGE

Hein?

MARTHA, toujours doucement.

J'ai dit : donne-moi un verre.

GEORGE se dirige vers le bar mobile.

Bon... oui, ça n'est pas un dernier verre qui nous tuera...

MARTHA

Quoi? Mais c'est pas le dernier verre puisqu'on a des invités?

GEORGE, étonné.

Hein? Tu dis qu'on a... *quoi?*

MARTHA

Des invités... Des in-vi-tés...

GEORGE, éberlué.

Des invités?

MARTHA

Oui... Des invités... des gens... du monde... Y'a des invités qui vont arriver.

GEORGE

Mais... quand?

MARTHA, hurlé.

Maintenant...

GEORGE

Mais, Martha, est-ce que tu sais l'heure qu'il est?... Qui sont ces gens-là?

MARTHA

C'est personne.

GEORGE

Qui ça?

MARTHA

Les *personnes*.

GEORGE

Et qui sont ces... personnes?

MARTHA

Je ne connais pas leur nom. Tu les as rencontrés ce soir. Ils viennent d'arriver ici. Lui, je crois qu'il enseigne les mathématiques ou un machin comme ça.

GEORGE

Mais... mais qui sont-ils?

MARTHA

Tu les as rencontrés tout à l'heure.

GEORGE

Franchement, je ne me souviens pas d'avoir rencontré...

MARTHA, l'interrompant.

Et moi je m'en souviens... Donne-moi mon verre et ne reste pas là planté comme une borne. Il est prof de math... trente ans environ... blond et...

GEORGE

... joli garçon.

MARTHA

Exactement. Beau garçon.

GEORGE

C'est normal, c'est normal.

MARTHA

... Sa femme est une petite môme sans intérêt...
sans fesses ni rien.

GEORGE

Ah oui?

MARTHA

Tu vois qui je veux dire?

GEORGE

Oui, je crois... mais enfin pourquoi viennent-ils
ici maintenant?

MARTHA, ton d'évidence.

Parce que papa a dit qu'il fallait être gentils
avec eux, voilà...

GEORGE, accablé.

Ah!... oui, c'est ça...

MARTHA

Tu me donnes mon verre, s'il te plaît? Papa a
dit qu'il fallait être gentils avec eux. *(Elle prend le
verre.)* Merci.

GEORGE

Tout de même... Il est plus de deux heures du matin et...

MARTHA

Parce que papa a dit qu'il fallait être gentils avec eux.

GEORGE

Oui, oui... mais enfin ton père n'a pas voulu dire qu'il fallait passer toute la nuit avec eux. Nous aurions pu les inviter dimanche, par exemple, non?

MARTHA

C'est comme ça... D'ailleurs, on est dimanche. Depuis minuit, c'est dimanche.

GEORGE

Enfin, Martha, c'est idiot...

MARTHA

C'est comme ça...

GEORGE, résigné et exaspéré.

Bon... Très bien... Alors, où sont-ils? Puisque nous avons des invités, où sont-ils?

MARTHA, calme, très décontractée.

Ils vont arriver.

GEORGE

Ils sont d'abord allés faire une petite sieste pour être en forme?

MARTHA

Ils arrivent, ils arrivent.

GEORGE

De temps en temps, Martha, j'aimerais bien que tu me préviennes... au lieu de me réserver sans arrêt de ces bonnes surprises...

MARTHA, *lentement.*

Je ne te réserve pas sans arrêt de bonnes surprises, George.

GEORGE

Si, si... Tout le temps!... Sans arrêt!...

MARTHA, *noblement indignée.*

Voyons... George...

GEORGE

Sans arrêt!...

MARTHA, *comme si elle parlait à un bébé
qu'elle voulait consoler.*

Pauvre petit garçon... Mon gros petit bébé... *(Il boude.)* Hein? Héééé? Qu'est-ce qu'il fait le petit garçon? Il boude? *(Changement de ton brusque, comme une mère qui devient sévère.)* Hein? Fais voir!... Tu boudes? C'est ça que tu fais?

GEORGE, *très calme.*

Ça n'a aucune importance, Martha...

MARTHA, *cri nerveux.*

Hiiiiiiiiiiii...

GEORGE

Je te dis que ça n'est rien...

MARTHA

Hiiii... *(George ne bronche pas.)* Hé? *(George ne bronche pas. Plus haut.)* Hé? Psssst? *(George lève les yeux.)* Hé?

Elle chante.

Qui a peur de Virginia Woolf,
Virginia Woolf,
Virginia Woolf...

Elle rit de manière artificielle.

Ha, ha, ha, ha!... *(George ne bronche pas.)* Alors, quoi? C'était pas drôle? Hein? *(Elle le provoque.)* Moi, j'ai trouvé ça très drôle... très drôle... T'aimes pas ça, toi?

GEORGE

Mais si, Martha, mais si...

MARTHA

T'étais plié en deux de rire quand on a chanté ça, tout à l'heure...

GEORGE, précis.

J'ai souri... Je ne me suis pas tordu de rire... J'ai souri.

MARTHA examine le fond de son verre.

T'étais plié en deux de rire.

GEORGE, conciliant.

C'était assez drôle...

MARTHA

C'était à mourir de rire...

GEORGE, toujours conciliant.

C'est ça, c'est ça... c'était très drôle.

MARTHA

Un temps. Elle le regarde avec attention.

George? *(Il lève les yeux.)* Tu me donnes envie de dégueuler.

GEORGE

Pardon?

MARTHA

Tu me donnes envie de dégueuler.

GEORGE réfléchit. Un temps.

Ce n'est pas très gentil de me dire des choses pareilles, tu sais, Martha.

MARTHA

Hein? Ce n'est pas *quoi?*

GEORGE

Ce n'est pas très gentil.

MARTHA

J'aime bien quand t'es furieux... C'est même comme ça que je te préfère... furieux... Mais t'es quand même une lope, George... T'as quand même rien dans...

GEORGE, l'interrompant.

Dans le ventre ? C'est ça ?

MARTHA

Pantin... *(Un temps. Ils éclatent de rire tous les deux.)* Hé ? *(Elle lui tend son verre.)* Un peu plus de glace, s'il te plaît ? Pourquoi est-ce que tu ne mets jamais de glace dans mon verre ? Hé ?

GEORGE prend le verre.

Je mets toujours de la glace dans ton verre ; mais tu la manges, c'est tout. Avec ton habitude de croquer les glaçons... comme un chien... tu finiras par abîmer tes grandes dents blanches.

MARTHA

Mes grandes dents blanches sont à moi !...

GEORGE

Quelques-unes, quelques-unes...

MARTHA

J'ai plus de dents que toi !

GEORGE

Oui... oui... deux de plus.

MARTHA

Deux de plus, c'est beaucoup plus !

GEORGE

Mais oui... à ton âge c'est même assez remarquable.

MARTHA

Ta gueule, pantin!... *(Un temps.)* Toi non
plus, t'es pas si jeune...

GEORGE, voix enfantine. Il chantonne.

J'ai six ans de moins que toi, moi... et toujours
je les ai eus et toujours je les aurai...

MARTHA, maussade.

Mais toi tu deviens chauve.

GEORGE

Et toi aussi. *(Un temps. Ils rient.)* Bonsoir, toi...

MARTHA

Bonsoir... Viens ici... viens faire un gros baiser
tout chaud et tout mouillé à ta maman.

GEORGE

Martha... voyons...

MARTHA

Je veux un gros baiser tout chaud et tout
mouillé !

GEORGE, préoccupé.

Non, je ne veux pas, Martha. *(Un temps.)* Alors,
et ces gens que tu as invités, où sont-ils ?

MARTHA

Ils sont restés à bavarder avec papa... Ils arrivent... Ils ont fait la causette à papa. Tu ne veux
pas m'embrasser ?

GEORGE, ton trop noble.

Non, non, mon chéri, car si je vous embrassais, j'en serais tout excité... J'en perdrais la tête et je vous prendrais là, de force, par terre... et nos charmants petits invités entreraient... et... voyons... imaginez ce que votre père penserait de cette... histoire.

MARTHA

Espèce de porc !

GEORGE, toujours noblement guindé, imite le grognement d'un porc.

Grrrooh... grrrrrooh...

MARTHA rit.

Ha, ha, ha, ha !... Donne-moi un autre verre, Casanova.

GEORGE prend le verre de Martha.

Qu'est-ce que tu descends, hein ?

MARTHA imite une fillette.

C'est pasque z'ai soif...

GEORGE

Je t'assure...

MARTHA

Ecoute, chéri, comme tu rouleras toujours sous la table avant moi, t'en fais pas pour moi, tu veux ?

GEORGE

Je sais, Martha, tu es la championne. Il n'y a pas un seul concours d'abjection où tu n'aies pas remporté...

MARTHA, l'interrompant.

Si tu existais, je divorcerais... *(Elle lève le bras.)* Je le jure...

GEORGE

D'accord... mais en attendant essaie de tenir debout. Puisque ces gens sont nos invités, nous...

MARTHA

Je te vois même pas... Depuis des années et des années... Je te vois pas, je sais pas où tu es...

GEORGE, posément.

Et surtout attention de ne pas tomber dans les pommes, de ne pas vomir, etc., etc.

MARTHA

T'es rien... T'es un zéro... un zéro...

GEORGE, toujours posément.

... ah!... et tu devrais aussi essayer, si possible, de ne pas te déshabiller. En effet, je t'assure que quand tu as un verre dans le nez et ta jupe par-dessus la tête, il n'y a rien au monde de plus ignoble.

MARTHA

Un vrai... zéro...

GEORGE, précis.

Ou plus exactement, puisque l'alcool dédouble la vision, n'est-ce pas, je devrais dire : avec *vos* jupes par-dessus *vos* têtes.

On sonne à la porte.

MARTHA, tout excitée.

Ah! les voilà, les voilà...

GEORGE, bas et dur.

Eh! bien Martha... Je suis sûr que nous allons passer une merveilleuse soirée!...

MARTHA, même ton.

Va ouvrir la porte.

GEORGE ne bouge pas.

Vas-y, toi.

MARTHA

Allons, George, j'ai dit : la porte... (*Il ne bouge pas.*) Je t'aurai, George...

GEORGE, crache « à blanc » en direction
de Martha.

Tiens, chérie...

MARTHA, tournée vers la porte. Elle crie.

Entrez... (*A George. Dure.*) Je répète : va ouvrir...

GEORGE sourit, a un mouvement vers la porte.

Bien, mon amour... Tout ce que mon amour m'ordonne... (*Il s'arrête, la regarde.*) Mais ne commence pas, hein? C'est tout ce que je te demande...

2

MARTHA, sournoise.

Ne commence pas *quoi*? Qu'est-ce que ça veut dire? De quoi parles-tu?

GEORGE

De la *chose*.

MARTHA

Mais... de quelle *chose*?

GEORGE, avec un ton de très douce menace.

Je te demande simplement de ne pas te lancer dans l'histoire du gosse... c'est tout...

MARTHA, faussement indignée.

George... Tu as vraiment une triste opinion de moi...

GEORGE

Pas assez triste...

MARTHA, menaçante.

Ah oui? Et moi je te dis que si ça me plaît j'en parlerai, du gosse...

GEORGE

Tu aurais tort, tu aurais tort...

MARTHA

Il est autant à moi qu'à toi et si ça me plaît, j'en parlerai!

GEORGE

Ce serait une erreur, Martha, une grave erreur...

MARTHA

Je me fous de tes conseils, t'entends ? *(On frappe.)*
Entrez !... *(A George.)* Va ouvrir !

GEORGE

Je t'aurai prévenue.

MARTHA

C'est ça, tu m'auras prévenue... Va ouvrir !

GEORGE va vers la porte.

Parfait, mon amour... Tout ce que mon amour
ordonne... *(Rêveur. Emerveillé.)* Est-ce que ça n'est
pas merveilleux qu'il y ait encore des gens bien
élevés à notre époque ? Est-ce que ça n'est pas
merveilleux que des gens ne se précipitent pas dans
la maison d'autrui même lorsqu'ils entendent,
derrière la porte, une monstrueuse créature leur
gueuler de le faire ?

MARTHA

Je t'emmerde...

> Dans le même temps, sur cette réplique,
> George ouvre brusquement la porte.
> Honey et Nick sont là, plantés.
> Il y a un bref silence puis...

GEORGE, très accueillant.

Aaaah...

MARTHA, un peu trop haut.

Ah, ah !... Vous voilà... Entrez !...

NICK et HONEY, ad lib.

Bonsoir... bonsoir... nous voici... bonjour...
Excusez-nous...

GEORGE, très détendu.

Voici nos charmants petits invités, n'est-ce
pas?

MARTHA

Ha, ha!... Entrez, les enfants... Ne vous occupez
pas de ce clown... Donnez-lui vos manteaux.

NICK

Excusez-nous... peut-être n'aurions-nous pas dû...

HONEY

Oui... il est tard et...

MARTHA

Tard? Vous plaisantez... Entrez... Jetez vos manteaux n'importe où...

GEORGE, ton détaché.

N'importe où... Sur les meubles, par terre...
ici ça n'a aucune importance...

NICK, à HONEY.

Je te l'avais dit... Nous n'aurions pas dû venir.

MARTHA, voix de stentor.

J'ai dit : entrez!... Allons, entrez!...

HONEY, petit rire nerveux, comme elle et Nick s'avancent.

Mon chéri... hi hi hi hi!...

GEORGE, imitant Honey.

Hi, hi, hi, hi!...

MARTHA se tourne brusquement vers George.

Toi, enfoiré, tu la fermes, hein.

GEORGE, feignant d'être scandalisé.

Ho! Martha!... *(A Honey et Nick.)* Martha a parfois de ces expressions...

MARTHA

Allez, les mômes, 'seyez-vous...

HONEY s'assied et avec un regard vague sur le salon.

C'est tout à fait charmant...

NICK, en écho. Machinalement.

Oui... c'est vrai... c'est très... agréable.

MARTHA, qui se moque de ces compliments.

Merci, merci...

NICK, montrant une peinture abstraite.

Qui... qui a peint ce...

MARTHA

Ça? Oh! c'est de...

GEORGE

... une espèce de Grec moustachu sur lequel Martha s'est jetée, une nuit...

HONEY, pour essayer de faire diversion.

Ho, ho, ho!... ho... ho!...

NICK, regardant le tableau.

Je trouve qu'il y a... On y sent...

GEORGE

Une force tranquille?

NICK

Non... plutôt...

GEORGE

Ah!... *(Un temps.)* Un calme vibrant... peut-être?

NICK comprend que George se paie sa tête mais reste poli et calme.

Non, je voulais plutôt dire...

GEORGE

C'est ça : disons une force calme vibrante de tranquillité?

HONEY

Chéri, on se moque de toi...

NICK, froid.

Je le sais.

Bref silence.

GEORGE, sincère.

Je suis désolé...

> Nick hoche la tête avec condescendance.

GEORGE

En vérité, ce tableau représente l'intérieur de la tête de Martha.

MARTHA

Ha, ha, ha!... Offre un verre à ces enfants, George. Qu'est-ce que vous voulez boire, mes petits? Hein?

NICK

Honey? Qu'est-ce que tu veux?

HONEY

Je ne sais pas, chéri... Un peu de cognac, peut-être...

> Elle a son petit rire.

GEORGE

Du cognac? Sec? Très bien, très bien... *(Il va vers le bar roulant.)* Et vous?...

NICK

Eh bien... un whisky... si ça ne vous dérange pas.

GEORGE, en versant les boissons.

Déranger? Non, non, ça ne me dérange pas. Ça ne me dérange absolument pas... Martha? Et pour toi qu'est-ce que ça sera? Alcool à brûler?

MARTHA

Ouais.

GEORGE, ton de conversation mondaine et aimable.

Les goûts de Martha, en ce qui concerne les boissons, se sont beaucoup simplifiés, avec les années... ils se sont... épurés... Quand je lui faisais la cour — enfin... c'est une façon de parler, n'est-ce pas ? — mais, disons qu'à l'époque où je lui faisais la cour...

MARTHA, enjouée.

Où tu me *prenais*, mon chéri...

GEORGE apporte les verres à Honey et à Nick.

Bref, lorsque je courtisais Martha, elle commandait des breuvages incroyables. Vous ne pouvez pas savoir ! Dès que nous entrions dans un bar, c'était toujours la même histoire... Elle fronçait les sourcils, se torturait les méninges et, brusquement, c'était la trouvaille : par exemple un Alexandra avec de la crème de cacao frappée, des cerises à l'eau-de-vie, du rhum flambé... Une explosion, quoi !

MARTHA

C'était rudement bon. J'adorais ça.

GEORGE

De vrais petits cocktails pour dames.

MARTHA

Hé! il arrive mon alcool à brûler ?

GEORGE se dirige à nouveau vers le bar.

Mais, avec les années, Martha a appris à ne pas mélanger n'importe quoi avec n'importe quoi... Maintenant, elle sait qu'on met le lait dans le café, le citron sur le poisson... et que l'alcool pur *(Il tend le verre à Martha.)*... tiens, mon ange... est réservé à la très pure Martha. *(Il lève son verre.)* A votre santé.

MARTHA, à tous.

A la vôtre, mes enfants. *(Ils boivent.)* Tu es un vrai poète, George... Quand tu parles comme ça, j'en ai le ventre qui me brûle...

GEORGE, réprimande gentiment.

Ne sois pas grossière devant nos invités, Martha...

MARTHA

Elle rit.

Ha, ha, ha, ha!... *(A Honey et à Nick.)* Hé? Hé?

Elle chante et bat la mesure avec son verre à la main.

Qui a peur de Virginia Woolf,
Virginia Woolf,
Virginia Woolf...

Martha et Honey rient. Nick sourit.

HONEY

Ho! comme c'était drôle. C'était très drôle!

NICK, sans conviction.

Oui... oui... très drôle.

MARTHA

J'ai cru que j'allais éclater... Vraiment... vraiment j'ai cru que j'allais crever de rire. George, lui, n'a pas aimé... Il n'a pas du tout aimé ça...

GEORGE

Allons, Martha, cesse de radoter...

MARTHA

J'essaie de te faire honte de ton manque d'humour, chéri... c'est tout...

GEORGE, trop calme. A Nick et à Honey.

Martha estime que je n'ai pas ri assez fort. Martha estime que si l'on ne rit pas jusqu'à en crever — comme elle dit avec tant d'élégance — c'est que l'on est dépourvu du sens de l'humour. Si on ne rit pas comme un chacal, d'après Martha, c'est qu'on ne s'amuse pas.

HONEY

Moi, je me suis follement amusée! J'ai passé une soirée merveilleuse!

NICK, feignant mollement l'enthousiasme.

Oui... merveilleuse.

HONEY, à Martha.

Et votre père. Mon Dieu, quel homme extraordinaire!

NICK, id.

Ah oui!... tout à fait extraordinaire!

HONEY, à court d'adjectifs.

Absolument! Vraiment!

MARTHA

C'est un type formidable! Formidable!

GEORGE, à Nick.

Et plus vous le croirez, mieux ça ira pour vous.

HONEY, feignant d'être gentiment scandalisée par
ce propos sacrilège.

Hoooh!... Comment pouvez-vous dire des choses
pareilles!...

GEORGE

Moi? Mais je n'y touche pas. C'est un Dieu.
C'est bien connu...

MARTHA

Touche pas à mon père, George.

GEORGE

Entendu, mon amour. *(A Nick.)* Ce que je
veux dire, n'est-ce pas, c'est que lorsque vous
aurez, comme moi, une collection entière de ce
genre de soirées sur le dos...

NICK, interrompant George afin que celui-ci ne fasse pas
de lui son complice.

C'était très intéressant... Non seulement je me
suis amusé, mais j'ai été aussi très intéressé... Vous
savez, lorsqu'on vient d'arriver dans un nouvel
endroit... *(George l'examine avec une attention lourde*

et rusée. Nick s'embarrasse dans l'explication.) Rencontrer des gens... leur être présenté... arriver à faire des connaissances qui... Par exemple, dans la dernière ville où j'ai enseigné, nous...

HONEY, qui a écouté Nick et dont le propos
éveille en elle le souvenir des « efforts » passés.

Oh oui! c'est incroyable!... On a dû faire notre trou *tout seuls!* Pas vrai, chéri?

NICK

Oui... en effet... nous avons dû...

HONEY

Tout seuls! C'est moi qui ai toujours dû faire les premiers pas avec les femmes des collègues de Nick... Chez le marchand de journaux... au supermarché... *(Elle mime.)* « Bonjour, vous êtes sans doute Madame Une telle, n'est-ce pas? Mon mari et moi venons d'arriver... Votre mari est bien le professeur Un tel, n'est-ce pas?... » Je vous assure que ça ne m'amusait pas du tout.

MARTHA

Papa, lui, simplifie tout ça, pas vrai?

NICK, modérément enthousiaste.

C'est un homme remarquable.

MARTHA

Oui, mon ami, exceptionnel.

GEORGE, à Nick. Comme s'il lui faisait une
confidence, mais sans baisser la voix.

Voulez-vous que je vous confie un secret, mon
petit ? Eh bien... ce n'est pas très facile, lorsqu'on
enseigne dans une université... ce n'est pas l'idéal...
d'être marié à la fille du grand patron de cette
université... Oui oui... il y a des choses beaucoup
plus faciles...

MARTHA, haut. Elle a entendu George mais lui
répond « à la cantonade ».

Ça devrait être un tremplin extraordinaire...
Pour certains ça serait même la chance de leur
vie.

GEORGE, à Nick. Il lui fait un clin d'œil.

Croyez-moi, il y a des choses beaucoup plus
faciles...

NICK, qui veut ménager à la fois George
et Martha

Evidemment, je comprends ce que cela peut
avoir parfois de... *(Il cherche le mot.)*... de gênant...
peut-être... mais...

MARTHA

Pour avoir cette chance, je connais des *hommes*
qui donneraient leur bras droit.

GEORGE, calme.

Hélas ! Martha, c'est qu'en réalité ça n'est pas
son bras droit qu'on sacrifie mais une partie plus...
intime de son corps...

MARTHA ricane de mépris et de dégoût.

Nyyyyyyaaaaaah...

HONEY se lève.

Excusez-moi... pouvez-vous me dire où sont les... *(Elle traîne sur « 'les ».)*

GEORGE à Martha, désignant Honey.

Martha...

NICK, à Honey.

Tout va bien, mon petit?

HONEY

Oui, oui, chéri. Je voudrais seulement... me peigner.

GEORGE, à Martha qui ne bouge pas.

Martha, tu devrais lui montrer où se trouvent les...

MARTHA, comme si elle sortait brutalement d'un rêve.

Hein? Quoi? Hein... bien sûr... *(Elle se lève.)* Excusez-moi; venez. Je vais vous faire visiter la maison.

HONEY

C'est que... j'aimerais d'abord...

MARTHA

Vous peigner? D'accord. Suivez-moi. *(Elle prend Honey par le bras. Aux deux hommes.)* On vous laisse bavarder un peu entre hommes, hein?

HONEY, à Nick. Comme si un ogre l'entraînait.

Nous revenons tout de suite, chéri.

MARTHA, allant pour sortir
mais se ravisant. À George.

Franchement, George, je ne peux pas te supporter.

GEORGE, ravi.

Eh bien!... parfait!

MARTHA, dure.

C'est *vrai*, George.

GEORGE, ravi.

Très bien, Martha, très bien... *(Geste.)* Allez,
va!...

MARTHA

Je te dis que c'est *vrai*.

GEORGE

... mais évite de parler de... tu sais quoi, hein?

MARTHA explose d'un coup.

Je parlerai de tout ce qu'il me plaira!

GEORGE

D'accord, d'accord... Allez, file.

MARTHA

De *tout* ce qu'il me plaira. *(Elle entraîne brutalement Honey.)* Venez...

GEORGE

C'est ça, disparais. *(Les femmes sortent. A Nick, comme si de rien n'était.)* Bon, qu'est-ce que vous prenez?

NICK

Heu... je ne sais pas... je crois que je vais continuer au whisky.

GEORGE prend le verre de Nick et va vers le bar.

Vous avez commencé avec ça chez Dieu-le-Père?

NICK

Chez qui?

GEORGE

Chez Dieu-le-Père.

NICK

Excusez-moi, je ne comprends pas.

GEORGE

Ça ne fait rien... *(Il lui tend le verre.)* Et un whisky, un.

NICK

Merci.

GEORGE

C'est une vieille plaisanterie entre la mère Martha et moi. *(Ils s'assoient.)* Alors? Alors... il paraît comme ça que vous faites dans les mathématiques?

NICK

C'est-à-dire... non... non...

GEORGE

En tout cas, c'est ce que Martha prétend. Je vous avertis que c'est ce qu'elle prétend. *(Peu aimable soudain, comme s'il voulait arracher un aveu à Nick.)* Et... pourquoi êtes-vous devenu professeur?

NICK

Mon Dieu... pour les mêmes raisons que vous, je suppose...

GEORGE

Ah!... Et vous les connaissez ces raisons?

NICK, poliment.

Pardon?

GEORGE, qui comprend
que Nick veut éluder la question.

Je vous demande si vous les connaissez, ces raisons.

NICK a un petit rire faux.

Mon Dieu... non... je ne les connais pas.

GEORGE

Pourtant vous venez de me dire que vos raisons avaient été les mêmes que les miennes.

NICK, avec un brin d'humeur.

J'ai dit que je *supposais* qu'elles avaient été...

GEORGE, l'interrompant.

Oui... je vois. Bon... *(Détendu soudain.)* Ah oui? *(Un temps.)* Parfait... *(Un temps.)* Et ça vous plaît ici?

NICK, regard circulaire.

Oui... c'est... très bien.

GEORGE

Je voulais dire : à l'université.

NICK

Ah! pardon. Je croyais que vous vouliez dire...

GEORGE

Oui, j'ai compris. *(Un temps.)* Alors, ça vous plaît?

NICK

Oui... c'est... très bien... *(Comme George continue de le regarder avec attention.)* Tout à fait bien. *(Un temps.)* Mais vous... ça fait un bon bout de temps, n'est-ce pas, que vous êtes-là?

GEORGE, absent. Comme s'il n'avait pas entendu.

Hein? Oh!... oui... Depuis que je me suis marié avec... *(comme s'il avait oublié son nom)*... heu... la mère machin... heu... avec Martha. *(Un temps.)* J'étais là avant... *(Un temps.)* Je suis là depuis toujours... *(Un léger temps.)*... Et pour toujours... *(In petto. Pour lui-même.)* L'espoir était brûlant... la douche très froide... On essaie, on réussit, on triomphe, on se fait avoir... *(A Nick.)* Qu'est-ce que vous pensez de cette déclinaison, jeune homme ? Hein ?

NICK

Excusez-moi, mais si nous...

GEORGE, avec impatience.

Vous n'avez pas répondu à ma question.

NICK

Pardon ?

GEORGE

Inutile de prendre des airs supérieurs. Je vous ai demandé si vous aimiez cette déclinaison : essayer, réussir, triompher, se faire posséder. Hein ? Alors ?

NICK, coincé.

Je ne sais... heu... que vous répondre...

GEORGE joue l'étonnement.

Vous ne savez vraiment pas *quoi* répondre ?

NICK, vivement.

Bon. Qu'est-ce que vous voulez que je vous dise ? Que c'est drôle et vous affirmerez que c'est sinistre... ou que c'est sinistre et vous jurerez que c'est drôle ? Et que ce petit jeu continue, peut-être, sans qu'il y ait aucune raison de s'arrêter ?

GEORGE, comme s'il battait en retraite.

Très bien... très bien...

NICK, encore plus excité.

Dès que ma femme sera revenue, vous me permettrez de prendre congé...

GEORGE, bonasse.

Allons, allons... du calme, mon vieux. Là, là... calmez-vous... *(Un temps.)* Vous avez besoin d'un verre... Voilà... c'est ça... Donnez-moi votre verre.

NICK, buté.

Merci... Je n'ai pas fini... *(Il montre son verre.)* Dès que ma femme redescendra...

GEORGE

Il prend le verre.

Donnez...

NICK

Si vous êtes en train, vous et votre femme, d'avoir une espèce de scène de...

GEORGE, ton lourd et bonasse.

Martha et moi n'avons... rien du tout. Nous nous entraînons... voilà... Nous faisons simplement fonctionner ce qui nous reste encore... *(Il désigne son crâne.)* là. Ne faites pas attention.

NICK, dubitatif.

Pourtant...

GEORGE change brusquement de ton. Affable.

Bon... On va s'asseoir et causer, d'accord?

NICK, de nouveau sur ses gardes.

Vous savez... je n'aime pas du tout... me mêler... heu... des affaires des autres.

GEORGE, comme s'il rassurait un enfant.

Eh bien, vous en prendrez l'habitude... Vous verrez... nous sommes une petite université, ici... Or, comme on pratique beaucoup le sport en chambre et que les lits ont des oreilles...

NICK

Pardon? Vous dites, monsieur?

GEORGE

Je dis que les lits ont des... Non, je ne dis rien. Et vous, arrêtez de me donner du « monsieur » à tort et à travers. Je sais bien que c'est une marque de respect à l'égard de vos... *(clin d'œil)* aînés... mais... la manière dont vous le dites... Monsieur? Madame?

NICK, avec un mince sourire.

N'y voyez pas d'intention... Je vous assure...

GEORGE, tout de go.

Quel âge avez-vous?

NICK

Vingt-huit ans.

GEORGE

Moi, j'ai quarante et des poussières. *(Il attend une réaction qui ne vient pas.)* Ça ne vous étonne pas?

Vous ne trouvez pas que je fais plus vieux et qu'avec ces cheveux poivre et sel on me donnerait la cinquantaine ? Je ne fais pas un peu croulant... non ?

NICK cherche un cendrier.

Vous me paraissez... en pleine forme.

GEORGE

J'ai toujours été... sec. En quinze ans, je n'ai pas pris deux kilos. Et... *(Il se tâte le ventre.)* pas de ventre... J'ai cette petite dilatation ici... juste au-dessus de la ceinture, mais c'est du muscle... pas un gramme de graisse. Je fais beaucoup de sport. Combien pesez-vous ?

NICK

Je...

GEORGE

Soixante-douze, treize... non ? Vous faites du sport ?

NICK

Oui... non... enfin... pas très souvent.

GEORGE, ravi de l'idée.

Eh bien ! nous pourrions en faire ensemble de temps en temps. *(Changement de ton.)* Martha, elle, va sur ses... cent huit ans. Cent huit, c'est ça. Et elle pèse encore plus. Quel âge a votre femme ?

NICK, un brin étonné.

Vingt-six ans.

GEORGE, avec grande conviction.

Martha est une femme tout à fait remarquable. *(Un léger temps.)* Et elle doit peser environ dans les cinquante-cinq...

NICK

Votre femme ne pèse que...

GEORGE

Mais non, mais non, mon vieux. La vôtre. Martha, c'est *ma* femme à *moi*.

NICK

Oui, je le sais.

GEORGE

Et si vous étiez marié avec elle, vous comprendriez ce que ça veut dire. *(Un temps.)* Evidemment, si j'étais marié à votre femme, je comprendrais aussi ce que ça veut dire, pas vrai?

NICK, un temps.

... Oui.

GEORGE

Donc, d'après Martha, vous feriez dans les mathématiques ou dans un truc de ce genre-là, hein?

NICK, excédé.

Mais non... absolument pas.

GEORGE, comme s'il donnait
un avertissement à Nick.

Pourtant, Martha ne se trompe que très rare-
ment... Peut-être *devriez-vous* être dans les mathématiques.

NICK

Je suis biologiste... professeur de biologie.

GEORGE

Un temps.

Ah!... *(Comme si quelque chose lui revenait à l'esprit.)*
Ah ah!...

NICK

Pardon?

GEORGE

Ah oui! C'est vous! Oui, c'est vous qui voulez
fiche la pagaille partout... faire que tout le monde
ressemble à tout le monde... bricoler les chromosones...

NICK, avec un mince sourire.

Pas *sones*, somes : les chromo*somes*.

GEORGE

... Oui, etc. C'est bien ça, vos intentions?

NICK

Pas tout à fait.

GEORGE

Eh bien! moi, je n'y crois pas! *(Il s'agite sur son
fauteuil.)* Vous croyez que les gens ne retiennent

rien des leçons de l'Histoire ? Je ne dis pas qu'il y ait quelque chose à retenir... mais vous croyez que les gens ne retiennent rien ? *(Léger temps.)* Moi, je suis historien.

NICK hoche la tête.

Ah, ah !...

GEORGE

J'ai ma licence, mon doctorat et mon agrégation d'histoire. L'agrégation, selon certains, c'est la désagrégation des lobes frontaux ; selon d'autres, c'est un produit-miracle. En réalité, c'est les deux. Non, je n'y crois pas du tout. *(Un temps.)* Alors, on est biologiste ? *(Nick ne répond pas ; hoche la tête ; regarde George.)* La science-fiction, en réalité, n'est pas du tout de la fiction : j'ai lu ça quelque part... Et il paraîtrait que des individus dans votre genre seraient en train de tripoter nos gènes pour que tout le monde se ressemble. Eh bien ! moi *(noble et solennel)*, je ne veux pas de ça !... Ce serait... déplorable ! Tenez, regardez-moi. Vous trouvez que ça serait une belle réussite si tout le monde avait quarante ans et quelques... et en paraissait cinquante-cinq ? *(Changement de ton et d'idée. En fait, George a des ruptures de raisonnement comme quelqu'un qui a beaucoup bu et qui pérore. Mais, cependant, il conduit son raisonnement avec l'étrange lucidité de ces ivrognes qui savent admirablement « banderiller » leur interlocuteur.)* Vous n'avez pas répondu à ma question sur l'Histoire...

NICK

A propos des chromosomes, je voudrais tout de même vous dire...

GEORGE

Oh! ça... *(Il a un geste large de la main comme si Nick évoquait là un sujet à la fois vague et immense.)* C'est très bizarre... très décevant... Cela dit, l'Histoire est une affaire encore plus... décevante. Je suis professeur d'histoire.

NICK

Je sais... vous me l'avez déjà dit.

GEORGE

Oui oui, je sais que je vous l'ai déjà dit... et je vous le redirai encore. *(Un temps.)* Martha me rappelle très souvent que je suis UN professeur d'histoire... c'est-à-dire que je ne suis pas LA section d'Histoire... Autrement dit, que je ne dirige pas la SECTION D'HISTOIRE. *(Un temps.)* Je ne dirige pas la section d'Histoire.

NICK

Je ne suis pas non plus le grand patron du groupe de Biologie.

GEORGE

Oui, mais vous n'avez que dix-huit ans.

NICK

Vingt-huit.

GEORGE

Vingt-huit ans, c'est ça. Mais quand vous en aurez quarante et quelques et que vous en paraîtrez cinquante-cinq, vous dirigerez la section d'Histoire.

NICK

De Biologie.

GEORGE

De Biologie, c'est ça. Pendant quatre ans — c'était pendant la guerre — j'ai dirigé la section d'Histoire. Il n'y avait personne d'autre, vous comprenez, car tout le monde était parti. Ensuite, ils sont tous revenus... car personne n'a été tué. Eh oui! c'est ça, la Nouvelle-Angleterre! Vous ne trouvez pas ça extraordinaire? *(Il assène.)* Tous ceux qui sont partis à la guerre, ici, en sont revenus! Ça défie la statistique! *(Il réfléchit.)* Votre femme... a les hanches très minces, hein?

NICK

Comment?

GEORGE

Surtout, ne croyez pas que je suis obsédé par les hanches des femmes... Non, je ne suis pas de ceux qui... *(geste qui évoque les formes d'une femme; comme si les mains en modelaient — poitrine, taille, hanches — les courbes)...* 98, 52, 98 cm... hein? Non... De la mesure en toutes choses. Je voulais seulement dire que votre femme est... plutôt mince.

NICK

Oui... plutôt.

GEORGE lève la tête vers le plafond.

Mais qu'est-ce qu'elles peuvent bien fabriquer là-haut?

NICK, fausse rondeur.

Les femmes, vous savez...

GEORGE regarde Nick avec une sorte de curiosité
puis, revenant à une autre idée,
son expression change.

Aucun de ces salauds n'a été tué! Pourquoi?
Parce que personne n'a bombardé Washington.
Enfin... passons. Vous avez des enfants?

NICK

Heu... non... pas encore. *(Un temps.)* Et vous?

GEORGE

Moi? C'est à vous de le deviner...

NICK

Ah oui?

GEORGE

Alors, pas d'enfants?

NICK

Pas encore.

GEORGE

Les gens... heu... ont des enfants, non? C'est ça,
l'Histoire. Et vous, biologistes, vous allez les
fabriquer dans des éprouvettes, hein? Et nous,
si nous en avons envie, nous pourrons forniquer
sans danger tant que nous voudrons. Mais alors,
dites, nous n'aurons plus droit aux abattements
sur les impôts? Est-ce que quelqu'un s'est penché

sur cet aspect de la question? *(Nick rit pour se donner une contenance.)* De toute façon, vous aurez des enfants... Pour le moment, c'est ça, l'Histoire!

NICK, prudent.

Oui... certainement... mais nous voudrions attendre... un peu... d'être installés.

GEORGE

Et voici... *(il a un geste large qui décrit un espace imaginaire)* que vous avez enfin trouvé votre Terre Promise, votre Illyrie, votre Vallée Heureuse, vos Sodomes et vos Gomorrhes... *(Changement de ton. Non lyrique soudain.)* Et vous croyez que vous allez être heureux, ici, en notre bonne ville de La Nouvelle-Carthage?

NICK, un peu sur la défensive.

Nous espérons y rester, en tout cas.

GEORGE

Ha!... Tous les paradis ont leurs frontières. Mais, finalement, je crois que ce n'est pas une mauvaise université. Ça va... Ça peut aller... Bien sûr, ce n'est ni Oxford, ni Harvard, ni la Sorbonne... ni d'ailleurs l'université de Moscou...

NICK, qui suit son raisonnement à lui.

Evidemment, nous n'y resterons pas éternellement, j'espère...

GEORGE

Je vous conseille de ne pas crier ça aux quatre vents. Le Vieux n'aimerait pas du tout ça. De sa bande de... disons de sa bande de collaborateurs, pour être poli..., le père de Martha exige une fidélité sans bornes. De sa bande de... collaborateurs, le père de Martha exige qu'ils s'incrustent aux murs de cette université comme le lierre. On travaille ici ! On vieillit ici ! On crève ici ! En service commandé ! En première ligne ! Nous avons eu un professeur de latin qui est tombé sur le front du réfectoire au beau milieu du déjeuner. On l'a enterré — et ainsi d'autres l'ont été avant lui et d'autres le seront après lui... — sous les massifs qui entourent la chapelle. Il paraît... et je veux bien le croire... que le corps enseignant constitue un excellent engrais. *(Un temps.)* Quant au Vieux, *jamais* il ne sera enterré sous les massifs... Il ne mourra *jamais !* Le père de Martha a la longévité de ces tortues de l'âge primaire... On murmure... mais chuut... hein ?... et surtout pas un mot à Martha si vous ne voulez pas voir l'écume mousser à ses lèvres... que le Vieux, son père, est âgé de plus de trois cents ans. C'est peut-être une plaisanterie, mais je ne suis pas encore assez soûl pour l'apprécier. *(Changement de ton.)* Et de combien d'enfants avez-vous l'intention d'être le père ?

NICK

Je... je ne sais pas... Ma femme est...

GEORGE

... assez bien roulée... *(Il se lève.)* Vous buvez quelque chose ?

NICK

Oui.

GEORGE, il hurle.

MAAAARTHA!... *(Pas de réponse.)* Bon... On s'en fout! *(A Nick.)* Vous m'avez demandé si je connaissais les femmes... eh bien, figurez-vous que je me demande de quoi elles peuvent bien parler pendant que les hommes discutent entre eux... et que je n'en ai pas la *moindre* idée. *(Geste vague.)* Il faudra tout de même que je me renseigne, un de ces quatre matins.

MARTHA, off.

Héééé!... Qu'est-c' qu'yaaaaa?

GEORGE, à Nick.

Belle musique, hein? *(Il revient à son idée.)* Oui, à votre avis, de quoi croyez-vous qu'elles *parlent vraiment?*... *(Un léger temps.)* Ou alors ça vous est égal?

NICK

D'elles... à mon avis.

MARTHA, off. Hurlé.

GEOOOORGE...

GEORGE, à Nick.

Les femmes, pour vous, c'est... une énigme?

NICK

Heu!... Oui et non.

GEORGE hoche la tête d'un air entendu
comme si Nick venait d'émettre une sentence
très profonde.

Je comprends... (*Comme il se dirige vers le vestibule, il tombe pile sur Honey qui entre.*) Ah!... Eh bien,
en voilà au moins une!... (*Honey va vers Nick.
George se dirige vers le vestibule.*)

HONEY, à George.

Elle descend tout de suite. (*A Nick.*) Chéri, il
faut absolument que tu visites cette maison... C'est
vraiment une vieille maison merveilleuse.

NICK

Oui oui, je...

GEORGE

Maaaartha.

MARTHA, off. Hurlé.

Meeeerde... J'arriiiive.

HONEY, à George. Comme si de rien n'était.

Elle descend tout de suite. Elle se change.

GEORGE, avec comme une stupéfaction.

Elle fait... *quoi?* Elle se change?

HONEY

Mais... oui.

GEORGE

Et... elle change... de *quoi?*

HONEY

Mais... de robe.

GEORGE

Pourquoi?

HONEY, avec son petit rire nerveux.

Sans doute pour être plus à l'aise.

GEORGE, avec un regard menaçant
vers le vestibule.

Ah!... pour être plus à l'aise, hein?

HONEY

Oui, je crois...

GEORGE, bref. Haut.

Ne croyez pas!

NICK, à Honey qui sursaute.

Ça va, mon petit?

HONEY, ton geignard dont on comprend
qu'il lui est habituel
pour répondre à cette question.

Oui, mon chéri, ça va bien...

GEORGE, fulminant. A part.

Alors elle veut être à l'aise, hein? Bon! C'est ce qu'on verra!

HONEY, à George. Enjouée.

Oh!... à propos... Je viens d'apprendre que vous aviez un fils...

3

GEORGE se tourne d'un mouvement très vif.
Quoi ? Hein ?

HONEY
J'ignorais que vous aviez un fils.

NICK, mince sourire.
Hé !... Ce doit être un grand gaillard !...

HONEY, toujours enjouée.
Vingt et un ans... Vingt et un ans demain...
C'est demain son anniversaire.

GEORGE, à Honey.
C'est *elle* qui vous a parlé de lui ?

HONEY, déconcertée.
Mais... oui... *(un temps)* naturellement...

GEORGE
C'est *elle* qui vous a parlé de lui ?

HONEY glousse nerveusement.
Oui...

GEORGE, d'une voix étrange.
Et vous dites qu'elle est en train de se changer ?

HONEY
Oui...

GEORGE
Et elle vous a dit...

HONEY

... que c'était demain l'anniversaire de votre fils.

GEORGE, à lui-même.

Très bien, Martha... Très bien.

NICK, à Honey.

Tu es toute pâle. Tu veux un...

HONEY

Oui, chéri... un tout petit cognac...

GEORGE

Très bien, Martha.

NICK se dirige vers le bar.

Vous permettez que je...

GEORGE

Hein? Mais oui... oui... servez-vous. Buvez... vous en aurez de plus en plus besoin à mesure que les années... *(A Martha, comme si elle était en face de lui.)* Tu détruis tout, garce, tout!

HONEY, à Nick.

Quelle heure est-il, chéri?

NICK

Deux heures et demie.

HONEY

Ho! chéri, c'est tard!... Nous devrions rentrer...

GEORGE, d'un ton rogue qu'il ne contrôle pas
car il pense, en fait, à autre chose.

Pourquoi? La nurse vous attend?

NICK, bref.

Je vous ai déjà dit que nous n'avions pas d'enfants.

GEORGE

Hein? *(Il fait marche arrière.)* ... Je n'ai pas dû
entendre... ou bien j'ai oublié... *(Geste de la main.)*
A vous de choisir!

NICK, doucement. A Honey.

Nous allons partir tout de suite, mon chéri.

GEORGE

Ah non!... Maintenant... pas possible! Martha
est en train de se changer et comme elle ne se
change pas pour moi... D'ailleurs, Martha ne se
change plus pour moi depuis des années... Et,
vous savez, si Martha se change, ça veut dire
que nous sommes là pour... des éternités. C'est un
honneur qu'on vous fait et... *(ton de légère menace)*
vous feriez mieux de ne pas oublier que Martha
est la fille de notre patron vénéré. Elle est... sa
petite couille droite chérie, en quelque sorte.

NICK

Vous ne comprendrez peut-être pas... mais je
préférerais que vous n'usiez pas de ce genre de
langage devant ma femme.

HONEY, à Nick.

Chéri, voyons...

GEORGE, incrédule.

Ah oui? Eh bien, vous avez mille fois raison. Nous laisserons cette façon de parler à Martha...

MARTHA entre.

Quelle façon de parler?

> Martha a changé de robe et elle a l'air maintenant plus à son aise et — ceci est très important — plus « excitante ».

GEORGE

Ah! te voilà, mon poussin?

NICK, admiratif. Il se lève.

Eh bien!...

GEORGE, léger sifflement admiratif.

... Martha! Ta robe des dimanches!

HONEY, qui n'aime pas la robe de Martha.

Oh! c'est ravissant!...

MARTHA, ravie.

Vous aimez? Bravo! *(A George.)* Qu'est-ce que t'as à gueuler comme ça dans les escaliers?

GEORGE

Tu nous manquais, chérie... Ta gentille présence... ta si douce voix...

MARTHA

Bon... Ça va... *(Gentille.)* Et maintenant tu vas trotter vers le bar...

GEORGE, mièvre; imitant Martha.

... et tu vas apporter un gros verre tout plein d'alcool à brûler à ta petite Martha.

MARTHA

C'est ça. *(A Nick.)* Alors, vous avez bavardé bien gentiment tous les deux ? Réglé le sort du monde ? Entre hommes ? Comme d'habitude ?

NICK

Eh bien !... non... nous...

GEORGE, vivement.

Si tu veux tout savoir, nous avons simplement essayé d'imaginer de quoi vous parliez. C'est tout ce que nous avons fait.

Honey glousse. Martha rit.

MARTHA, à Honey.

Au-dessous de tout ! *(Avec un mépris énorme.)* Ces hommes sont *vraiment* au-dessous de tout ! *(A George.)* Pourquoi n'avez-vous pas écouté aux portes ?

GEORGE

Oh !... je n'aurais pas *écouté*, Martha... J'aurais *regardé* à travers le trou de la serrure.

Honey glousse. Martha rit.

NICK, à George. *Franchement enjoué.*

Elles ont dû comploter...

GEORGE *soupire.*

Et voilà!... Nous ne saurons jamais ce qu'elles ont dit! Dommage!

MARTHA, à Nick, *tandis que Honey sourit aux anges.*

Hé! à propos, vous, vous deviez être un très brillant sujet, hein, pour décrocher votre licence à... quel âge déjà?... à douze ans? Hé! George, t'entends ça?

NICK, *faussement modeste.*

Très exactement, à douze ans et demi. *(Il sourit.)* Non, à dix-neuf ans, en réalité. *(A Honey.)* Pourquoi as-tu raconté ça, HONEY?...

HONEY, *mutine et orgueilleuse.*

Mais parce que je suis *fière* de toi!

GEORGE, *dont on ne sait s'il est sérieux.*

C'est tout à fait... remarquable!

MARTHA, *agressive. A George.*

Oui, c'est remarquable!

GEORGE

C'est ce que j'ai dit, Martha. Et j'en crève de jalousie! Ça va? Tu es contente? Qu'est-ce que tu veux de plus? Que je dégueule? *(A Nick. Très mondain.)* Vraiment, c'est remarquable! *(A Honey.)* Vous avez parfaitement raison d'être fière.

HONEY, timide.

Et vous savez, c'est un garçon très gentil.

GEORGE, à Nick.

Je ne serais pas du tout étonné que vous deveniez un jour directeur de la section d'Histoire.

NICK

De Biologie.

GEORGE

Oui, bien sûr, de Biologie... On dirait que je suis obsédé par l'Histoire... *(Il réfléchit; se rengorge.)* Ah! c'est profond, ça! *(Il prend une pose, une main placée sur son cœur, le menton dressé. Et d'une voix de stentor.)* Je suis obsédé par l'Histoire!

MARTHA, pendant que Nick et Honey gloussent.

Ha, ha, ha, ha!...

GEORGE, avec un brin d'écœurement.

Bon... ben *moi*, je vais boire un verre.

MARTHA

George n'est pas obsédé par l'Histoire... Non, George est obsédé par la section d'Histoire... Et si George est obsédé par la section d'Histoire, c'est parce que...

GEORGE la coupe et, rapide,
parce qu'exaspéré par cette « scie »
que Martha a dû répéter cent et mille fois.

... parce qu'il *n'est pas* la section d'Histoire mais qu'il *fait partie* de la section d'Histoire. On est au courant, Martha. On a parlé de tout ça, pendant que vous étiez là-haut en train de vous refaire une beauté. Ça n'est pas la peine de remettre ça.

MARTHA

Tu as raison, mon poulet... ne touchons pas au linge sale. *(Aux autres.)* Vous comprenez, George est embourbé dans la section d'Histoire... Il y patauge... voilà ce qu'il y fait. Des jardins de la section d'Histoire, George est le marécage écarté, le bourbier que l'on cache, le gros tas de boue... la poubelle. Ha ha ha ha !... Une poubelle agrégée ! Héééé !... Salut la Poubelle ! Ça va, la Poubelle ?

GEORGE fait un grand effort sur lui-même,
puis, très doux,
comme si Martha n'avait rien dit d'autre
que : « George, mon chéri... »

Oui... Martha ? Tu as besoin de quelque chose ?

MARTHA, entre dans le jeu.

Mais bien sûr. Allume ma cigarette, veux-tu ?

GEORGE réfléchit puis s'éloigne.

Non... il y a des limites... Il y a un seuil que l'être humain ne peut pas dépasser... sinon... c'est la dégringolade jusqu'au bas de l'échelle de l'évolution... *(A Nick, rapidement.)* Ça, c'est votre affaire, hein ? *(De nouveau, à Martha.)* Drôle d'échelle... impossible de la remonter une fois qu'on l'a descendue... *(Martha, épanouie, lui envoie un baiser du bout des doigts.)* A partir de maintenant, je te tiendrai la main dans le noir quand tu auras

peur du grand méchant loup; je jetterai, en ca-
chette, les bouteilles de gin que tu vides... *Mais...*
je n'allumerai pas ta cigarette! Et c'est comme ça,
et pas autrement! Voilà!

> Un temps.

MARTHA, sotto voce.

Ah là là!... *(Puis, carrément, à Nick.)* Hé! vous,
vous avez fait du rugby?

HONEY, comme Nick semble plongé
dans une méditation.

Chéri?...

NICK

Hein? Oh!... oui... oui... j'étais trois-quarts
centre... mais j'ai surtout fait de la boxe...

MARTHA, enthousiaste.

La BOXE!... T'entends, George?

GEORGE, résigné.

Oui, Martha.

MARTHA, à Nick. Avec un enthousiasme suspect.

Vous deviez rudement bien vous défendre,
hein? Pour un boxeur, vous n'êtes pas du tout
abîmé par les coups.

HONEY, fière.

Il a été champion universitaire des poids
moyens.

NICK, un peu gêné.

Voyons... Honey...

HONEY

Mais puisque c'est vrai!

MARTHA

Il faut comprendre que toutes ses questions recèlent une intention louche. Ce
sont des questions gourmandes de *dévo-
reuse*. De grand méchant loup au petit
chaperon rouge.

Vous paraissez avoir gardé une forme superbe...
Hein? Pas vrai?

GEORGE, ferme.

Martha... la simple décence devrait t'interdire...

MARTHA, à George, tout en continuant
de dévorer Nick du regard.
Brutale, comme un colosse qui remet à sa place
un gringalet d'un revers de main.

TA GUEULE! *(De nouveau à Nick. Changement de
ton.)* Alors... vous êtes toujours en forme, oui ou
non?

NICK, spontanément... mais jouant, à la limite
de la complicité et de la vanité, le jeu de Martha.

Plutôt oui... je m'entretiens.

MARTHA, avec un demi-sourire.

Ah!... Vous vous *entretenez*?

NICK

Ouais...

HONEY, toujours linotte.

Oh oui!... il est dans une forme... formidable!

MARTHA, toujours avec son demi-sourire.

Formidable? Hé!... mais c'est que c'est très intéressant, ça!...

NICK, très narcisse, mais sans *répondre*
encore *directement* à Martha.

Oui... c'est qu'on ne sait jamais... *(Il a un léger haussement d'épaules.)* D'ailleurs, une fois qu'on a commencé...

MARTHA

... on ne sait jamais : ça peut servir.

NICK

Non, je voulais dire : pourquoi laisser tomber tant qu'on sent que ça marche?

MARTHA

Vous avez mille fois raison. *(Ils se sourient, et commence à s'établir entre eux une sorte de complicité aux contours encore non définis.)* A mes yeux, vous avez mille fois raison.

GEORGE

Martha, ton obscénité passe les bornes et...

MARTHA, sur le ton de la constatation détachée.

Notre George, là, devient très vite nerveux dès qu'on parle de... forme... *(George se tait.)* n'est-ce pas, chéri? Il suffit de parler de ça et le voilà malheureux... Lui, vous savez, les ventres musclés, les pectoraux...

GEORGE, à Honey.

Voulez-vous que nous allions faire un petit tour dans le jardin?

HONEY, déconcertée.

Oh!... c'est que...

GEORGE, incrédule.

Vous trouvez qu'on s'amuse? *(Il hausse les épaules.)* C'est comme vous voulez.

MARTHA, à Nick, désignant George.

Ce gros lard préfère qu'on parle d'autre chose que de muscles, devant lui... *(A Nick toujours.)* Combien pesez-vous?

NICK

Environ soixante-douze... ou treize... Plutôt soixante-douze et...

MARTHA

Ah! Toujours à la limite des poids moyens, à ce que je vois... C'est excellent! *(Elle se tourne.)* Hé, George! raconte-leur *notre match de boxe!*

GEORGE pose brutalement son verre
et se dirige vers le vestibule.

Merde...

MARTHA

Allons, George, raconte!

GEORGE, las.

Non, toi, Martha. Tu racontes mieux que moi.

Il sort.

HONEY

Il ne se sent pas... bien?

MARTHA

Lui? Mais si! *(Elle revient à son idée.)* George et moi avons disputé ce match de boxe... oh!... il y a déjà vingt et un ans de ça!... Nous étions mariés depuis deux ans environ...

NICK

Un match de boxe? Entre vous?

HONEY

C'est vrai?

MARTHA

Ouais... c'est vrai : entre nous.

HONEY, déjà excitée.

Mais comment est-ce possible?

MARTHA

Eh bien! voilà : comme je vous le disais, il y a vingt ans de ça, et, évidemment, ça ne s'est pas passé sur un ring ou sur une estrade... Non...

C'était pendant la guerre... *(Elle ouvre une paren-thèse.)* Mais il faut que je vous dise que papa est absolument fou de toutes ces histoires de culture physique... Papa a toujours été partisan de la culture physique... *(Sentencieuse.)* Il dit que l'homme a non seulement un cerveau mais aussi un corps... et que c'est un devoir de les conserver tous les deux au maximum de... enfin, vous voyez ce que je veux dire, hein ?

NICK, un brin sceptique.

Oui...

MARTHA

Papa dit que le cerveau n'est pas en forme si le corps ne l'est pas également.

NICK

Heu... ce n'est pas si...

MARTHA

Bon... ce n'est peut-être pas exactement ce qu'il dit... mais c'est quelque chose dans le genre. *Donc*... c'était pendant la guerre et papa s'était mis dans la tête que tout le monde... que tous les hommes, en tout cas, devaient pour se défendre apprendre la boxe. Son idée c'était que si les Allemands débarquaient sur la côte... ou n'importe où... il fallait que tous les professeurs de l'université aillent les attendre pour les massacrer à coups de poing... C'était peut-être son idée...

NICK

C'était plutôt pour le principe... vous ne croyez pas?

MARTHA

Non, non, sans blague!... Bref, un dimanche, papa avait demandé à quelques professeurs de venir s'entraîner. Nous étions sortis dans le jardin et papa avait lui-même mis les gants. Papa est très costaud... *(Catégorique.)* D'ailleurs, vous avez vu, hein?

NICK

Oui, oui.

MARTHA

Et alors, il a demandé à George de boxer un peu avec lui... maiaiaiaiais... George ne voulait pas... Il voyait sans doute sa carrière déjà *abîmée*... déjà compromise, vous comprenez?

NICK

Oui... oui...

MARTHA

Donc, George ne voulait pas, malgré papa qui répétait : « Allons, allons, jeune homme! Qui m'a fichu un gendre pareil! Allons!... »

NICK

Ouais...

MARTHA

Alors moi, pendant ce temps... je me demande ce qui m'a pris... j'enfile une paire de gants... et sans les lacer ni rien... je m'approche en douce

de George, pour rire, et je crie : « Hé, George !... »
tout en expédiant dans le vide une espèce de
crochet du droit... comme ça... pour rire...

NICK

Ou... ais...

MARTHA

... alors George se retourne brusquement et..
BAOU !... il attrape ça en plein dans les gencives !
(Nick rit.) Franchement, je ne l'avais pas fait
exprès... mais BAOU !... il titube... il avait peut-être
bu un verre de trop... il fait deux ou trois pas en
arrière et puis... BAOU !... il atterrit dans les choux !
*(Nick rit. Honey fait « Ts, ts, ts... » en hochant la
tête.)* C'était vraiment affreux; à crever de rire
mais affreux. *(Elle réfléchit. Elle a une sorte de rire
étouffé à se remémorer l'incident.)* Je crois que cette
histoire a marqué toute notre vie... oui, je crois.
Enfin... ça sert d'excuse à beaucoup de choses, en
tout cas... *(George est entré, les mains derrière le dos.
Personne ne l'a vu.)* George affirme que c'est à
cause de cette histoire qu'il s'est enfoncé dans son
trou et qu'il n'est arrivé à rien. *(George avance.
Honey le voit mais ne dit rien.)* Pourtant, c'était un
hasard... un pur et simple hasard...

> George sort de derrière son dos une sorte de
> fusil de chasse à canon court et, calme-
> ment, vise la nuque de Martha. En
> même temps, Honey hurle... et se lève
> toute droite. Nick se lève. Martha
> tourne la tête et voit George. Celui-ci
> appuie sur la détente.

GEORGE

Boum!

> Du canon du fusil, jaillit en gerbe une belle
> ombrelle chinoise rouge et jaune. Honey
> pousse encore un cri mais, cette fois, de
> soulagement et de surprise.

Tu es morte! Boum!... Tu es morte, Martha!

NICK, riant.

Ho!... Bon Dieu!...

> Honey rit convulsivement. Martha rit
> également... de *toutes ses forces*. Le rire
> s'éteint peu à peu.

HONEY

Oh! c'est drôle... drôle!

MARTHA, d'excellente humeur.

Où est-ce que tu as trouvé ça, espèce de voyou?

NICK tend la main vers le fusil.

Vous permettez que je regarde?

> George lui tend le fusil.

HONEY

Oh!... j'ai eu la plus belle peur de ma vie! De
ma vie!

GEORGE, étrangement rêveur. A Nick.

Je l'ai depuis pas mal de temps. C'est amusant,
non?

MARTHA, mi-sérieuse, mi-rieuse.

Quelle ordure, tu fais...

HONEY, qui cherche à attirer l'attention.

Je n'ai jamais eu aussi peur! Jamais!

NICK, manipulant le fusil.

Très astucieux, ce truc-là.

GEORGE, doucement à Martha
vers laquelle il se penche.

Ça t'a *excitée*, pas vrai?

MARTHA

Oui... beaucoup... *(Plus doucement.)* Viens ici...
embrasse-moi...

GEORGE, désignant Nick et Honey.

Plus tard, mon petit chéri...

> Mais Martha ne cède pas. Ils s'embrassent,
> George debout se penchant sur le fauteuil
> de Martha. Elle lui prend la main qu'elle
> écrase contre sa poitrine. Il se dégage,
> comme s'il était « scandalisé ».

Ho!... C'est ça que tu as dans la tête? C'est ça
que tu voudrais? Organiser une joyeuse partie
avec nos invités? Hein?

MARTHA, avec une rage contenue.

Espèce de vicelard...

GEORGE

Voyons, Martha, chaque chose en son temps...
De la patience! De la patience en toutes choses!

MARTHA

Espèce de...

GEORGE, à Nick qui examine toujours le fusil.

Permettez? Je vais vous montrer... Ça rentre comme ça.

Il ferme l'ombrelle, la glisse dans le canon.

NICK, admiratif.

C'est très très astucieux.

GEORGE pose le fusil.

Et maintenant à boire! A boire pour tout le monde!

Il prend le verre des mains de Nick, va vers Martha.

MARTHA, toujours avec sa colère rentrée.

Je n'ai pas fini le mien.

HONEY, comme George va prendre son verre.

Oh oui!... je crois que j'en ai besoin!...

Il prend le verre, se dirige vers le bar roulant.

NICK

C'est japonais?

GEORGE

Sans doute...

HONEY, à Martha.

Je n'ai jamais eu aussi peur de ma vie! Et vous, vous n'avez pas eu peur? Même pas un tout petit peu?

MARTHA

Je ne me souviens pas.

HONEY

Eh bien! moi... je parie que vous avez eu peur!

GEORGE, ton de gentleman qui s'informe.

Est-ce que tu as vraiment cru que j'allais te tuer, Martha?

MARTHA l'écrase de son mépris.

Toi? Me tuer? Non... sans blague.

GEORGE

Hé hé!... On ne sait jamais... Peut-être qu'un jour...

MARTHA

Ah oui? Ça m'étonnerait...

NICK, comme George lui tend un verre.

Les toilettes, je vous prie?

GEORGE

En sortant... là... en bas et à gauche.

HONEY

Nick?... Ne ramène pas un fusil... Ou un machin comme ça... hein?

NICK, riant.

Non, non...

MARTHA, à Nick.

Vous, vous n'avez pas besoin d'accessoire, n'est-ce pas, mon petit ?

NICK

Eh bien !...

MARTHA, insistant.

Je suis sûre que non... Pas besoin de fusil japonais à ombrelle, hein ?

NICK, sourit à Martha.
Puis, s'adressant à George
et désignant une petite table dans le vestibule.

Je peux laisser mon verre là ?

GEORGE, comme Nick sort sans attendre la réponse.

Ouais... bien sûr... pourquoi pas ? Des verres à moitié pleins, on en trouve dans toute la maison... Martha en oublie n'importe où... dans l'armoire à linge, sur le bord de la baignoire... Un jour, j'en ai même trouvé un sur la lunette des W.-C.

MARTHA

Menteur !

GEORGE

C'est vrai !

MARTHA

Ce n'est pas vrai !

GEORGE tend le verre de cognac à Honey.

Mais si, c'est vrai ! *(A Honey.)* Le cognac ne vous donne pas la gueule de bois ?

HONEY

Je ne mélange jamais. Et puis, vous savez, je ne bois pas beaucoup...

GEORGE fait une grimace derrière son dos.

Et... c'est que c'est très bien, ça... *(Un temps.)* Votre mari m'a parlé des chromosones...

MARTHA, rogue.

Des quoi?

GEORGE

Des chromosones, Martha... Des gènes... enfin... de toutes ces choses-là... *(A Honey.)* Vous avez un mari vraiment... terrifiant!

HONEY, ne sachant si George se moque.

Heueueueu...

GEORGE

Je vous assure. Absolument terrifiant avec ses chromosones et toutes ces histoires...

MARTHA

Il est prof de math!

GEORGE, précis.

Non, Martha... il est biologiste.

MARTHA, plus haut.

Et *moi* je dis qu'il est prof de math!

HONEY, timidement.

Nnnnnon... Bi... ologi...

MARTHA

Hein? Vous en êtes sûre?

HONEY, avec un petit rire.

Eh bien!... je crois... *(un temps d'hésitation et de réflexion)* que *oui*.

MARTHA, rogue.

Admettons!... D'ailleurs, personne n'a dit qu'il était prof de math!

GEORGE

Si, *toi*, Martha.

MARTHA, en guise d'explication, irritée.

Admettons!... Je ne peux tout de même pas me souvenir de tout, non? On m'a présenté ce soir une quinzaine de professeurs à la noix augmentés de leurs mémères... *(A Honey.)* Je ne parle pas pour vous, hein?... et il faudrait que je me souvienne de tout *ça? (Un temps.)* D'accord! Il est biologiste! Tant mieux pour lui? La Biologie c'est encore... mieux! C'est moins... abscons.

GEORGE

Abstrait.

MARTHA

Abscons. Au sens d'obscur. *(Elle lui tire la langue.)* Tu vas m'apprendre le vocabulaire, toi? *(Elle répète.)* La Biologie, c'est encore mieux...

Ça va... au cœur des choses. *(A Nick qui revient.)*
Vous êtes en plein dans le cœur des choses, mon
garçon...

NICK prend son verre
posé sur le guéridon du vestibule.

Pardon ?

HONEY, avec son rire gloussant.

Ils croyaient que tu étais prof de math.

NICK

Eh bien ! c'est peut-être ce que j'aurais dû être.

MARTHA, toujours avec son art
de donner un autre sens, un sens *louche* aux propos ;
avec son art de *renverser* l'innocence des propos
des autres.

Non... surtout restez là où vous êtes... Vous
êtes très bien... au cœur des choses.

GEORGE

Arrête de répéter cette phrase, Martha... C'est
dégoûtant !

MARTHA, ne prêtant
aucune attention à George. A Nick.

Oui, vous, restez là où vous êtes.. *(Elle rit.)*
En partant de là ou d'ailleurs, vous arriverez de
toute façon à prendre la direction de la section
d'Histoire. Car, *moi*, je vous dis qu'un jour ou
l'autre, *quelqu'un* prendra la direction de la section
d'Histoire... et *moi* je vous dis que ce ne sera pas
mon petit Jojo... et *moi* je vous le jure ! Pas vrai,
poubelle ? Hein ? C'est pas vrai, ça ?

GEORGE, calme.

A mon avis, Martha, c'est toi qui es enfoncée dans une poubelle. Jusqu'au cou... *(Martha rit.)* Et bientôt, jusqu'aux yeux... comme ça on ne t'entendra plus...

MARTHA, à Nick. Ton normal de conversation. Comme si elle s'informait.

Mon petit Jojo, là... *(Elle le montre du doigt.)* prétend que vous êtes terrifiant. Et pourquoi, dites, êtes-vous terrifiant ?

NICK, avec un mince sourire.

Oh !... mais j'ignorais que je l'étais !

HONEY

Il disait ça à cause de tes chromosomes, chéri.

NICK

Ah !... je vois... encore les chromosomes...

MARTHA, à Nick.

Mais, au fait, qu'est-ce que c'est que toute cette histoire de chromosomes ?

NICK, très fat.

Eh bien ! les chromosomes sont...

MARTHA, l'interrompant.

Je sais ce que c'est, trésor, les chromosomes. Je les adore...

NICK

Ah !... bon alors... parfait !

GEORGE

Martha ne mange que ça au petit déjeuner...
Elle en beurre ses tartines. *(A Martha)* Voilà,
c'est très simple. Martha : cet excellent jeune
homme est en train d'inventer un système pour
transformer les chromosomes... Pas à lui tout
seul, je ne crois pas... Il doit avoir probablement
un ou deux complices... Le maquillage génétique
(George dit n'importe quoi : comme un camelot) de la
cellule spermatique bouleversé, réorganisé... absolument sur commande... et tout ça pour changer
la couleur des yeux et des cheveux, la taille, la viri-
lité aussi, évidemment... et le système pileux, les
traits du visage, la santé et... L'INTELLIGENCE! Ça,
c'est le plus important : l'intelligence! Tous les
défauts corrigés, effacés... les prédispositions aux
diverses maladies éliminées, la longévité assurée!
Et alors? Et alors, nous aurons une race d'hommes
fabriqués en éprouvettes, élevés en couveuses,
superbes et sublimes!

MARTHA, impressionnée.

Mazette!

HONEY

C'est merveilleux!

GEORGE

MAIS... Tout le monde finira par ressembler à
tout le monde! Pareils! Et tout le monde — j'en
suis certain — finira par ressembler à cet excellent
jeune homme *(il désigne Nick d'un geste large)* que
voici!

MARTHA, approbative.

Ça, ça n'est pas du tout une mauvaise idée.

NICK, avec impatience.

D'accord... mais je voudrais...

GEORGE l'interrompt.

Oui oui... tout ce que vous voudrez! *(Et il poursuit, toujours docte.)* Superficiellement, ce sera plutôt bien... et même plutôt... comique. Certes, certes, il y aura aussi le revers de la médaille. En effet, pour que l'expérience réussisse, il faudra exercer une sorte de contrôle... Un certain nombre de tubes de sperme devront être sacrifiés...

MARTHA, avec une attention énorme et fausse.

Aaah!...

GEORGE

Et il faudra effectuer des millions et des millions de millions de petites et délicates et minuscules opérations qui ne laisseront qu'une toute petite cicatrice sous les testicules... *(Martha rit)* mais grâce auxquelles sera assurée la stérilité des êtres imparfaits, laids, abrutis et... inadaptés!

NICK, qui perd un peu patience.

Ecoutez...

GEORGE, intarissable et lyrique.

Alors, du coup, nous aurons, un jour, une race d'hommes sublimes!

MARTHA

Aaah!...

GEORGE

La race des musiciens, des peintres et des poètes
s'éteindra, peut-être, mais qu'importe puisque
nous aurons une civilisation d'hommes blonds,
imberbes et juste à la limite des poids moyens!

MARTHA

Haaa...

GEORGE

... une race de savants et de mathématiciens,
tous destinés *à* et tous travaillant *pour* la plus grande
gloire de la super-civilisation...

MARTHA

Miam... Miam...

GEORGE

La rançon de l'expérience sera, certes, un certain... contrôle de la liberté... mais la diversité
ne sera plus l'objectif. Cultures, races, opinions...
finiront même par disparaître! Les fourmis régne-
ront sur le monde!...

NICK

Vous avez terminé?

GEORGE ne lui prête aucune attention.

Moi, naturellement, je suis plutôt contre tout
ça. *(Emphatique.)* L'Histoire, qui est mon

domaine... l'Histoire, dont je suis l'une des plus fameuses poubelles...

MARTHA

Ha, ha, ha!...

GEORGE

... y perdra sa merveilleuse variété et son imprévisibilité. Il en sera fini de moi et, avec moi, du... hasard, de la diversité, de l'immémoriale respiration de... l'Histoire! Tout sera en ordre, éternellement en ordre... *(haut)* et je suis radicalement contre ça! *(Plus haut.)* Jamais je ne céderai sur la question de Berlin!

MARTHA

Tu abandonneras Berlin, mon pauvre chéri. Avec quoi tu le défendrais? A coups de poings, peut-être?

HONEY, éberluée.

Je ne vois pas ce que Berlin vient faire dans cette... vraiment, je ne vois pas du tout...

GEORGE, nostalgique.

Il y a un bar, à Berlin-Ouest, où les tabourets sont hauts... *(geste)* comme ça. Et la terre, le plancher... tout est si loin... au-dessous de vous. *(Ferme. Haut.)* Jamais, je n'abandonnerai des choses pareilles! Non, jamais! *(A Nick.)* Je me défendrai, jeune homme... une main sur mes couilles, auxquelles, moi vivant, vous ne toucherez pas... et, de ma main libre, je me défendrai jusqu'à la mort!

MARTHA

Bravo, bravo!

NICK, à George. Souriant.

Mais, moi, je sèmerai l'avenir...

MARTHA

Pour ça, mon petit, je vous fais confiance...

HONEY, soûle.

A Nick.

Je ne comprends pas, chéri, pourquoi tu veux faire toutes ces choses. Jamais tu ne m'en avais parlé...

NICK, exaspéré.

Ta gueule!...

HONEY, choquée.

Ho!...

GEORGE, toujours divaguant.

Le signe le plus évident d'un cancer social... c'est la disparition du sens de l'humour. Aucune dictature n'a toléré le sens de l'humour. Lisez l'Histoire et vous verrez. *(Un temps.)* En Histoire, j'en connais un bout.

NICK, essayant de plaisanter.

Mais en science vous n'êtes pas très calé, hein?

GEORGE, noble.

En Histoire, j'en connais un bout... J'ai l'instinct du danger.

MARTHA, canaille.

A Nick.

Alors, tout le monde vous ressemblera?

NICK

Certainement. Je vais devenir une véritable machine à forniquer.

MARTHA

Eh bien!... mais c'est merveilleux!

HONEY se bouche les oreilles.

Chéri... je ne veux pas... Je ne veux pas... Je ne veux pas...

NICK, avec quelque impatience.

Excuse-moi, mon chéri...

HONEY

Parler comme ça... c'est... mal! C'est mal!

NICK

Je *regrette*... Là. Tu es contente?

HONEY boude.

Oui... ça va mieux... *(Elle pouffe d'un petit rire très nerveux. Elle se calme. A George.)* Et votre fils? Quand est-ce que votre fils... *(Elle pouffe de nouveau.)*

GEORGE

Quoi? Hein?

NICK

Elle vous parle de votre fils.

GEORGE

De mon FILS?

HONEY

Votre fils... où est-il?... heu... quand doit-il revenir? *(Elle glousse.)*

GEORGE

Ah!... *(Un temps long. Il réfléchit. Puis se tourne lentement vers Martha.)* Martha? *(Un temps.)* Quand revient notre fils?

MARTHA

Qu'est-ce que ça peut foutre?

GEORGE, cauteleux.

Mais si, mais si!... Je veux savoir... C'est *toi* qui as voulu qu'on parle de lui.

MARTHA

Laisse tomber! *(Comme pour en finir avec ce sujet.)* Je regrette d'avoir parlé de ça!

GEORGE

De *lui*... pas de *ça!* C'est de *lui* que tu as parlé! Enfin... plus ou moins... n'est-ce pas? *(Insinuant.)* Alors, hein, quand est-ce qu'elle rapplique cette petite frappe? *(Enjoué.)* A propos, est-ce que tu n'as pas dit que c'était demain quelque chose comme son anniversaire?

4

MARTHA

Je ne veux pas parler de ça!

GEORGE, faussement étonné.

Mais voyons, Martha...

MARTHA

JE NE VEUX PAS PARLER DE ÇA!

GEORGE

Un temps.

Oui... *(un léger temps)* comme je te comprends! *(A Honey et à Nick. Comme s'il s'excusait pour Martha.)* Martha ne veut pas parler de ça... enfin... de lui. Martha regrette d'avoir parlé de ça... heu... de lui.

HONEY, idiote. Voix perchée.

Et quand est-ce qu'elle revient cette petite frappe? *(Elle glousse.)*

GEORGE, comme s'il prenait une décision.

Bon, Martha... puisque tu as eu le mauvais goût de mettre cette histoire sur le tapis... Bon : quand est-ce qu'elle revient cette petite frappe?

NICK

Honey, est-ce que tu crois que tu ne devrais pas...

MARTHA, qui enfin contre-attaque.

George parle méchamment de cette petite frappe parce que... oui... parce qu'il a des problèmes.

GEORGE

Tiens, tiens... la petite frappe a des problèmes?
Et... quels sont les problèmes de la petite frappe?

MARTHA

Il ne s'agit pas de la petite frappe! Et d'abord
arrête de l'appeler comme ça! Il s'agit de *toi!*...
C'est *toi* qui as des problèmes!

GEORGE, avec une sorte de mépris détaché.

De ma vie, je n'ai entendu quelque chose de
plus ridicule!

HONEY

Moi aussi!

NICK

Honey...

MARTHA

La question que se pose George, au sujet de
cette petite... ha, ha, ha, ha!... au sujet de notre
fils, de notre grand garçon... c'est qu'en fait...
tout à fait en fait, hein?... il se demande s'il en
est le père.

GEORGE, lentement.

Tu es un *monstre*, Martha.

MARTHA

Pourtant, mon chéri, je te l'ai répété un million
de fois... Tu sais bien que je n'aurais pas pu avoir
d'enfant d'un autre que toi, mon chéri...

GEORGE

Tu es un *vrai* monstre...

HONEY, ivre et soudain larmoyante.

Oh mon Dieu! mon Dieu! mon Dieu! mon...

NICK

Je ne suis pas sûr que ces propos soient...

GEORGE, très « avocat ».

Martha est en train de mentir... Il faut que vous
le sachiez... Martha... ment. Dans la vie, je ne
suis sûr que d'un très petit nombre de choses...
On me dira : et les frontières nationales? Et le
niveau de la mer? Et les étiquettes politiques?
Et la moralité publique?... Eh bien! je répondrai
que je ne mettrai jamais ma main au feu pour
ce qui concerne la vérité de ces problèmes...
MAIS, par contre, je suis sûr d'une chose et d'une
seule chose... dans ce monde de malheur et de
perdition... et *(il assène)* c'est de ma res-pon-sa-
bi-li-té, de mon entière responsabilité chro-mo-
so-mo-lo-gi-que... dans la fabrication de notre
enfant aux cheveux bleus et aux yeux blonds!

HONEY

Moi, je suis très contente!

MARTHA

Tu as très bien parlé, George...

GEORGE s'incline. Petit salut.

Merci, Martha.

MARTHA

Tu as été à la hauteur de la situation... Très bien. Vraiment très bien.

HONEY, perroquet.

Bien... Vraiment très bien.

NICK

Honey...

GEORGE

Martha apprécie... Elle apprécie mieux que vous, croyez-moi.

MARTHA

Mieux que personne. D'ailleurs, j'ai fait des études. Moi aussi.

GEORGE

Martha a fait des études... Quand elle était une mignonne toute petite chose, Martha a même été chez les sœurs.

MARTHA

Et pourtant j'étais athée. *(Elle hésite.)* Et je le suis encore.

GEORGE, précis.

Pas athée, Martha... Païenne. *(A Honey et à Nick.)* Martha est la seule vraie païenne à mille lieues à la ronde.

HONEY

Oh! comme c'est mignon, ça! Tu ne trouves pas, chéri, que c'est très mignon?

NICK ménage Honey qui est complètement soûle.

Oui... très mignon.

GEORGE

Martha va même jusqu'à se mettre des anneaux dans le nez et jusqu'à se peindre des cercles de toutes les couleurs sur la peau... un peu partout.

NICK, à Martha.

Ah!... Vous faites ça?

MARTHA, tout en observant le « jeu » de George
et toujours prête à attaquer à son tour.

Ça m'arrive... *(Elle a un mouvement de racoleuse.)*
Voulez voir?

GEORGE, comme s'il la réprimandait
pour de pareils propos.

Tut, tut, tut, tut...

MARTHA

Tut... tut... tut... *quoi?* vieille peau?

HONEY, indignée nettement.

Lui *ne peut pas* être une vieille peau. C'est vous qui pouvez être une vieille peau! *(Elle glousse.)*

MARTHA, menaçant Honey du doigt.

Vous, attention! hein?

HONEY, complètement linotte.

Bon... Très bien... Alors je veux un petit verre de cognac, s'il vous plaît.

NICK

Honey... tu ne crois pas que tu as assez bu?

GEORGE

Mais pas du tout! D'ailleurs tout le monde a soif!

Il prend les verres.

HONEY, répète bêtement ce qu'a dit George.

Mais pas du tout! D'ailleurs, tout le monde a soif!

NICK, résigné.

Bon...

MARTHA, doucement.

A propos, George, notre fils n'a pas du tout les yeux blonds et les cheveux bleus. Il a les yeux verts... comme moi.

GEORGE

Il a les yeux bleus, Martha.

MARTHA, catégorique.

Verts!

GEORGE, comme on répond à quelqu'un d'obstiné mais qui a tort.

Bleus, Martha.

MARTHA, dure.

Verts! *(A Honey et à Nick.)* Il a les plus beaux yeux verts du monde... Sans la moindre tache brune ou grise... ou noisette... tout verts... d'un vert profond, dur... comme les miens.

NICK, regardant Martha.

Mais vos yeux sont... bruns, non?

MARTHA

Verts... *(Un peu trop fébrile.)* Oui... sous certains éclairages, ils peuvent paraître bruns... mais en réalité ils sont verts. Moins verts que les siens... plus sombres... George, lui, a les yeux bleus... d'un bleu trop pâle... délavé... trop laiteux... Papa a aussi les yeux verts.

GEORGE

Absolument pas! Ton père a de tout petits yeux *rouges*... comme une souris blanche! *(Comme si cela était d'évidence.)* D'ailleurs, ton père est une souris blanche!

MARTHA

Est-ce que tu oserais dire ça devant lui, espèce de lâche?

GEORGE, à Honey et à Nick.

Vous avez vu, hein? Cette énorme crinière de poils blancs et ces deux petites perles rouges : une monstrueuse souris blanche.

MARTHA

George déteste papa... Papa ne lui a rien fait, mais c'est une manière qu'a George de se venger de ses propres...

GEORGE, acquiesce et termine la phrase.

... insuffisances?

MARTHA, enjouée.

Exactement! Tout juste! *(Comme George va pour sortir.)* Où vas-tu?

GEORGE

Il faut que j'aille chercher des provisions liquides, mon ange.

MARTHA

Ah!... *(Un temps.)* Eh ben! vas-y!

GEORGE sort.

Merci.

MARTHA, lorsque George est sorti.

C'est un très bon barman... Il s'occupe d'un bar comme une vraie nounou... *(Un temps.)* Mais le salaud déteste mon père, vous avez vu?

NICK

Voyons, ce n'est pas si...

MARTHA, l'interrompant.

Vous croyez que j'exagère? Vous croyez que je plaisante? *(Un temps.)* Je ne plaisante jamais...

Je n'ai pas le sens de l'humour. *(Sur un ton de bouderie.)* J'ai le sens aigu du ridicule, mais pas celui de l'humour. *(Catégorique.)* Non, je n'ai pas le sens de l'humour!

HONEY, ravie.

Moi non plus!

NICK, mollement.

Mais si, Honey... mais il est... caché.

HONEY, fière.

Merci.

MARTHA

Vous voulez savoir *pourquoi* cette salope déteste mon père? Parfait! Eh bien! je vais vous dire pourquoi cette salope déteste mon père!

HONEY, à qui l'attention revient d'un coup.

Oh oui!...

MARTHA, sévère, à Honey.

Il y a des chacals qui ne pensent qu'à dévorer les cadavres des autres.

HONEY, offensée.

Non... ce n'est pas vrai.

NICK

Honey...

MARTHA

Ça va... Vos gueules, tous les deux ! *(Un temps.)*
Bon, allons-y... *(Comme si elle se lançait avec effort
dans un difficile récit.)* Maman est morte de bonne
heure et, finalement, c'est papa qui m'a élevée.
(Un temps. Elle réfléchit.) J'ai été fourrée en pen-
sion, etc., etc., mais j'ai quand même été plus ou
moins élevée par lui... *(Léger temps.)* Merde,
qu'est-ce que je l'admirais ce type ! Je l'adorais.
Je le vénérais jusqu'au bout des ongles... *(Un
temps.)* D'ailleurs, ça continue... *(Un temps.)*
Et lui aussi m'aimait bien, vous savez. Nous avions
un vrai... rapport. Oui, de vrais rapports...

NICK

Ouais... je vois...

MARTHA

Alors papa a transformé cette université... On
peut même dire qu'il l'a créée de toutes pièces.
C'est devenu toute sa vie...

NICK

Ouais, ouais...

MARTHA

Parler de papa, c'est parler de l'université :
ils ne font qu'un. Et vous savez ce que c'était
avant lui ? Et ce que c'est *maintenant ?* Vous pouvez demander à...

NICK

Je sais... J'ai lu des articles à ce sujet...

MARTHA

Ta gueule!... Ecoute... *(Après une brève réflexion.)*
beauté... Bon... alors... Quand j'ai eu terminé mes
études et mes... et cætera... je suis revenue ici
et j'ai commencé à traîner un peu au hasard...
Je n'étais ni mariée ni rien... Enfin *(Elle traîne
sur « Enfin ».)* ... si on veut, j'avais été mariée...
pendant une semaine... alors que j'étais en
deuxième année d'études au collège pour jeunes
filles que dirigeait Mlle Muff. Une histoire à la
Lady Chatterley pour Institution de jeunes filles...
mon mariage. *(Nick rit.)* Il tondait le gazon de
Mlle Muff... complètement nu, assis sur le siège
d'une énorme tondeuse... il tondait comme un
Dieu. Alors papa et Mlle Muff ont décidé d'arrêter les frais... et vlan... le mariage annulé...
ce qui est assez drôle... puisque, théoriquement,
on ne peut pas annuler un mariage du moment
qu'il y a eu... consommation.

NICK

Ha, ha!...

MARTHA

Alors, du coup, on a décidé que j'étais redeve-
nue vierge et j'ai terminé mes études chez
Mlle Muff... mais le petit jardinier avait disparu...
C'était bien dommage... Et puis je suis revenue ici
et j'ai commencé à traîner... Je faisais le ménage
de papa, je m'occupais de lui et... c'était très
agréable. Oui, très amusant.

NICK

Oui... oui...

MARTHA, à Nick.

Qu'est-ce que ça veut dire oui oui oui ? Qu'est-ce que tu en sais... *(Nick, interdit, hausse les épaules.)* mon amour ? *(Nick a un sourire.)* Alors, j'ai eu l'idée de me trouver un mari, ici, à l'intérieur de l'université... ce qui n'était pas une idée aussi stupide qu'elle s'est révélée l'être par la suite. *(Un temps.)* Papa, vous comprenez, avait le sens de l'Histoire... enfin... il pensait à l'avenir... *(Geste à Nick. Elle tapote le divan.)* Pourquoi vous ne venez pas vous asseoir ici, près de moi ?

NICK désigne Honey qui, soûle,
est de moins en moins « présente ».

Je crois... que je devrais...

MARTHA

Bon... Passons... Donc il pensait à l'avenir et, toujours, il avait eu cette idée derrière la tête : dresser quelqu'un pour le remplacer, un jour, lorsqu'il passerait la main. Avoir un successeur... vous voyez ce que je veux dire, hein ?

NICK

Oui... je vois.

MARTHA

Ce qui est tout à fait normal : quand on a fondé et entrepris quelque chose, on a toujours envie que quelqu'un continue votre œuvre. C'est normal... Alors, moi, du coup, j'étais chargée de découvrir l'oiseau rare parmi les nouveaux professeurs... de désigner le dauphin... *(Elle rit.)*

Pour papa, ça n'était pas du tout obligatoire que je me marie avec le type... Je n'étais pas la corde à laquelle il fallait se pendre et on ne m'obtenait pas en prime... Non, non, c'était moi qui m'étais mis ça dans la tête... mais, évidemment, presque tous les jeunes professeurs étaient déjà mariés...

NICK

Evidemment...

MARTHA, avec un bizarre sourire.

Comme toi, chéri.

HONEY répète mécaniquement.

Comme toi, chéri.

MARTHA, ironie amère.

Alors, qui est arrivé? George!

GEORGE entre chargé de bouteilles sur la réplique.

Alors George est arrivé avec sa camelote, avec des munitions fraîches. Qu'est-ce que tu es en train de raconter, Martha?

MARTHA, calme.

Je racontais une histoire. Assieds-toi... et écoute. C'est instructif.

GEORGE reste debout.
Il pose les bouteilles sur le bar.
Il esquisse une sorte de salut militaire.

Bien, m'sieu.

HONEY, à George.

Oh! vous êtes revenu?

GEORGE

Hé oui!...

HONEY, à Nick.

Chéri?... Il est revenu...

NICK

Oui, je vois...

MARTHA

Où est-ce que j'en étais?

HONEY

Oh! je suis très contente!

NICK

Chchchchuut...

HONEY

Chchchchuut...

MARTHA

Ah!... Ouais... J'y suis... Alors George est
arrivé — c'est ça... — Jeune... intelligent... l'œil
vif, le poil luisant... et, finalement — même si
aujourd'hui ça paraît incroyable — pas mal du
tout.

GEORGE, précis.

Et plus jeune que toi!

MARTHA

Et plus jeune que moi.

GEORGE

De six ans !

MARTHA

De six ans. Ça m'est égal, George... Alors il a
fait son entrée, l'œil allumé, dans la section d'Histoire. Et vous savez ce qui m'est arrivé, à moi,
conne que je suis ? Vous savez ce qui m'a pris ?
J'en suis tombée amoureuse !

HONEY, rêveuse.

Oh !... c'est trop mignon !

GEORGE

Oui, oui, c'est vrai ! Vous auriez dû voir ça.
La nuit, elle s'asseyait sur son arrière-train, au
beau milieu du gazon, et, tout en raclant la terre
de ses griffes, elle aboyait vers mes fenêtres. Je
n'arrivais pas à travailler.

MARTHA rit, vraiment amusée.

J'étais bel et bien amoureuse de *ça*... là... de
cette chose...

GEORGE

Et elle aboyait, elle aboyait... Martha a toujours été poète.

MARTHA

C'est vrai... J'étais réellement amoureuse de
lui et l'affaire avait l'air... raisonnable. Je vous

ai déjà dit que papa cherchait quelqu'un capable de...

GEORGE
Attends une seconde, Martha.

MARTHA
... le remplacer, un jour, lorsqu'il devrait...

GEORGE, froid.
Une seconde, Martha...

MARTHA
... se retirer et alors j'ai pensé...

GEORGE
ARRÊTE, MARTHA!

MARTHA, irritée
Qu'est-c' qu'y a?

GEORGE, trop calme.
C'est l'histoire de nos fiançailles que tu dois raconter, Martha, et pas autre chose.

MARTHA
Je raconte ce qui me plaît!

GEORGE
A ta place, je m'arrêterais.

MARTHA
Ah!... tu t'arrêterais, à ma place? Ben, tu n'y es pas, à ma place!

GEORGE, ton d'avertissement.

Martha... tu as déjà trop parlé de... tu-sais-quoi...

MARTHA, comme un canard.

Quoi? Quoi? Quoi?

GEORGE

... tu as déjà parlé de la prunelle de nos yeux... du rejeton... de la petite frappe... *(Dur. Il crache le mot.)* de notre *fils*... et si tu t'embarques sur l'autre histoire, je te préviens, Martha, qu'il se pourrait très bien que je me fâche!

MARTHA rit avec condescendance.

Ah oui? Oui? Tu crois?

GEORGE, doux.

Je te préviens.

MARTHA, comme si elle était sourde.

Tu... quoi?

GEORGE, très doux.

Je te préviens.

NICK

Est-ce que vous ne croyez pas que nous...

MARTHA

Parfait... Je suis prévenue... *(Un temps... puis à Honey et à Nick.)* Bon... alors j'ai épousé ce con...

C'est que j'avais tout combiné dans ma tête...
Il était le dauphin... Il serait le dauphin... Un
jour, il serait le patron... Il dirigerait d'abord
la section d'Histoire et, après, quand papa passerait la main, il dirigerait l'université... Comprenez? Je voyais cette route-là toute tracée... *(A
George qui, debout devant le bar, lui tourne le dos.)*
Dis, tu te fâches, chéri, oui ou non? *(Aux autres.)*
C'était cette route-là que *moi, moi*, je voyais toute
tracée... C'était très simple... Et papa croyait,
lui aussi, que ça n'était pas une folie... Pendant
quelque temps, c'est ce qu'il a cru... pendant un
ou deux ans. *(A George.)* De plus en plus fâché?
(Aux deux autres.) Jusqu'à ce qu'après un ou deux
ans, il ait commencé à se rendre compte que mon
idée n'était peut-être pas tellement géniale...
que peut-être notre Jojo n'avait pas *l'étoffe*... qu'il
manquait de souffle.

> GEORGE, toujours le dos tourné.

Arrête, Martha...

> MARTHA, sadique. Triomphante.

Mon cul!... *(Aux deux.)* George, vous comprenez, n'avait pas beaucoup de... punch... il n'était
pas du genre « fonceur ». En réalité... nous avions
plutôt affaire à une sorte de... *(Elle crache le mot.)*
bide! Un gros, un grand, un énorme bide!

> Bang... Dès que Martha a prononcé le
> mot « bide », George brise une bouteille
> sur le bord du bar et reste là, toujours le
> dos tourné, immobile, tenant la bouteille
> brisée par le goulot. Il y a un silence
> *énorme*... Puis...

GEORGE, quasi au bord des larmes.

J'ai dit « Arrête »... Martha...

MARTHA, après une hésitation.

J'espère que c'était une bouteille vide, hein, George ? Faut pas gaspiller l'alcool, hein... avec ce que tu gagnes ! *(George, immobile, laisse tomber la bouteille vide sur le plancher.)* Avec ton traitement d'assistant... *(A Nick et à Honey.)* Oui... il ne faisait pas le poids... aux dîners du conseil d'administration... lorsqu'il s'agissait d'obtenir des crédits... Il n'avait *aucune* personnalité... aucune... Et, comme vous pouvez imaginer, papa était très déçu... *(Un temps.)* Et voilà... *(Soupir.)* Voilà où j'en suis avec ce BIDE sur les reins !

GEORGE se retourne.

Cette fois, arrête, Martha...

MARTHA

... avec la poubelle de la section d'Histoire sur les bras !

GEORGE

Cette fois, Martha, cette fois...

ENSEMBLE

MARTHA hausse la voix afin de parler aussi haut que George.	GEORGE, plus bas puis jusqu'à couvrir la voix de Martha.
... qui est marié à la fille du patron, qui devrait être *quelqu'un* et qui n'est *personne;* rien	Qui a peur de Virginia Woolf, Virginia Woolf, Virginia Woolf...

qu'une punaise de bibliothèque, rien qu'un connard rêveur qui ne sait rien foutre de sa peau ; un pauvre type qui n'a jamais eu l'estomac de faire quelque chose dont on pourrait être un peu fier. Rien qu'une cloche. ÇA VA, GEORGE !

Qui a peur de
  Virginia Woolf,
  Virginia Woolf,
  Virginia Woolf...

GEORGE et HONEY

Qui a peur de Virginia Woolf,
        Virginia Woolf,
        Virginia Woolf...

MARTHA

ASSEZ !

Un silence.

HONEY se lève et va vers la sortie.

Oh ! j'ai mal au cœur... J'ai mal au cœur...

NICK, la suit.

Nom de Dieu de nom de Dieu !...

Il sort.

MARTHA va pour les suivre,
se tourne vers George et lui jette.

MERDE !

Elle sort. George reste seul.

RIDEAU

ACTE II

LA NUIT DE WALPURGIS

GEORGE est seul. Entre Nick.

NICK, après un temps.

Ça va aller... je crois. *(Pas de réponse.)* Ce qu'il y a... c'est qu'elle ne devrait pas boire... *(Pas de réponse.)* Elle est assez... fragile... *(Pas de réponse.)*... avec, comme vous dites, ses hanches étroites... *(George a un sourire vague.)* Je suis vraiment désolé.

GEORGE, calme.

Où est ma petite fille? Où est Martha?

NICK

Dans la cuisine... Elle fait du café... Elle est facilement malade, vous comprenez.

GEORGE, absorbé.

Martha? Non, non... Martha n'a jamais été malade de toute sa vie... à moins, bien sûr, de compter les cures qu'elle a faites en maison de santé.

NICK, calme, lui aussi.

Je parle de *ma* femme... Ma femme est vite malade. Votre femme, c'est Martha.

GEORGE

Oui... je sais.

NICK, avec certitude.

Et elle n'a jamais fait de cure en maison de santé.

GEORGE

Qui ça, votre femme?

NICK

Non, la vôtre.

GEORGE

Ah!... la mienne? *(Un temps.)* Non, non... jamais... Mais c'est ce que je ferais... je veux dire que si j'étais Martha, c'est ce que je ferais... Mais je ne suis pas Martha et... je ne le fais pas. *(Un temps.)* Pourtant, j'aimerais bien... *(Un temps.)* Ça barde plutôt, ici, de temps en temps.

NICK, froid.

Oui... j'ai compris.

GEORGE

Vous venez d'avoir droit à une séance.

NICK

Je préfère ne pas...

GEORGE

... Vous en mêler, hein? C'est bien ça?

NICK

Oui, c'est ça.

GEORGE

Bien sûr, bien sûr...

NICK

Je trouve ça... gênant.

GEORGE, sarcastique.

Ah oui? Vraiment?

NICK

Oui. Tout à fait. Vraiment.

GEORGE, il l'imite.

Oui. Tout à fait. Vraiment. *(In petto mais assez haut.)* C'EST RÉPUGNANT...

NICK

Je n'ai en tout cas aucune responsabi...

GEORGE

RÉPUGNANT... *(Calme mais avec force.)* Vous croyez que j'aime ça... être ridiculisé par cette espèce de... être piétiné devant... *(Comme si, d'un revers de main distrait, il chassait Nick.)*... VOUS... Vous croyez que j'adore ça?

NICK, sec.

Non... je crois que vous n'aimez pas ça...

GEORGE

Ah!... c'est ce que vous croyez?

NICK, hostile.

Oui...

GEORGE, sarcastique.

Votre sympathie me touche... Votre compréhension me tire les larmes... De bonnes grosses larmes salées... et pas scientifiques du tout, hein?...

NICK, sec et méprisant.

Je ne comprends pas pourquoi vous éprouvez le besoin de vous offrir en spectacle...

GEORGE

Moi?

NICK

Si vous avez tellement envie de vous déchirer comme...

GEORGE

Moi? J'ai envie, moi?

NICK

... deux bêtes, je me demande pourquoi vous ne faites pas ça lorsque...

GEORGE rit malgré sa colère.

Parce que! Sale petit curé, va... Sale petit prétentieux!

NICK, menaçant.

ÇA SUFFIT... MONSIEUR! *(Silence.)* Et... faites gaffe!

GEORGE

Espèce de... scientifique!

NICK

Je n'ai encore jamais frappé un homme plus vieux que moi.

GEORGE pèse la situation.

Ah!... *(Un temps.)* Vous frappez seulement les enfants... les femmes... et les petits oiseaux, hein? *(Il voit que ça n'amuse pas Nick.)* Oui... bien sûr... vous avez tout à fait raison. Ce n'est pas très joli de voir un couple d'un certain âge se cogner dessus jusqu'à en perdre le souffle... jusqu'à en devenir tout rouges... qui s'envoient des coups terribles et se ratent la moitié du temps.

NICK, en connaisseur.

Oh!... Vous ne vous ratez pas tellement... Vous êtes assez forts. C'est même impressionnant.

GEORGE

Et ce qui est impressionnant vous impressionne, pas vrai? Vous êtes... facilement impressionnable, non? Les pieds sur terre mais idéaliste, c'est ça?

NICK, avec un mince sourire.

Non... mais j'admire parfois des choses que je n'aime pas. Par exemple, la flagellation n'est pas mon spectacle favori mais...

GEORGE

... mais vous êtes capable d'admirer un bon flagellateur... un professionnel.

NICK

Heu... oui.

GEORGE

Alors, comme ça, votre femme dégueule pour un oui ou pour un non, hein?

NICK

Je n'ai jamais dit ça : j'ai dit qu'elle avait très facilement mal au cœur.

GEORGE

Ah!... pardon... par « mal au cœur » je croyais que vous entendiez...

NICK, un temps.

... Oui... c'est vrai... *(Un temps.)* Elle... elle vomit pour un oui ou pour un non. Quand elle s'y met... c'est pratiquement impossible de l'arrêter... Elle en a pour des heures. Pas sans interruption... bien sûr... mais... à intervalles réguliers.

GEORGE

Ça permet de régler sa montre, hein?

NICK

Presque.

GEORGE

Un verre?

NICK

Oui... *(Sans autre émotion qu'un très léger et amer regret tandis que George se dirige vers le bar.)* Je l'ai épousée parce qu'elle était enceinte.

GEORGE, un temps.

Ah? *(un temps)*... mais vous m'avez dit que vous n'aviez pas d'enfants... Lorsque je vous ai posé la question, tout à l'heure, vous m'avez dit...

NICK

Elle n'était pas... vraiment enceinte. C'était une grossesse nerveuse. Elle s'est gonflée comme un ballon et puis... pchchchch...

GEORGE

Et c'est quand elle était gonflée que vous l'avez épousée...

NICK

... Oui et après... pchchchch...

Ils rient puis s'arrêtent net comme étonnés de leur rire.

GEORGE

Heu... un whisky?

NICK

Heu... oui, un whisky.

GEORGE

Il est encore au bar. Le fait qu'ils ont ri ensemble a créé entre eux comme une espèce de climat de confiance. Il racon-

tera l'histoire ci-dessous en ânonnant un
brin avec ce ton un peu lent qu'ont
les Américains alcooliques qui racontent
d'interminables histoires.

Quand j'avais seize ans... et que j'allais encore
au lycée... à l'époque de la conquête de la Gaule
par Jules César... on était une petite bande de
copains... et on avait l'habitude d'aller passer à
New York le premier jour des vacances avant de
rappliquer chacun chez soi... Et le soir, à New
York, toute la bande... on allait dans une espèce
de tripot clandestin que tenait le père d'un des
copains... Un père-gangster... Parce que tout ça,
ça se passait pendant la Prohibition... — et pour
le commerce régulier de l'alcool ç'a été une
époque difficile, mais pour les gangsters et les
flics, c'était le bon temps... Et alors, nous, les
petits, on allait dans ce tripot et on buvait avec
les grands... et on écoutait du jazz. Et une fois,
dans notre bande, il y avait un copain... et il
avait tué sa mère d'un coup de fusil quelques
années avant — par accident, un accident idiot...
— oui... sans aucune raison... même inconsciente...
j'en suis certain... absolument certain — et, ce soir-
là, ce copain était avec nous... Alors nous comman-
dions nos verres et quand son tour est arrivé, il a
dit : « Moi, je voudrais un mourron... Donnez-
moi du mourron, s'il vous plaît... un mourron à
l'eau... » Alors nous avons éclaté de rire parce
qu'il ne savait pas ce qu'était le bourbon...
Mourron... bourbon... pour lui c'était pareil...
(Un temps.) Il avait les cheveux blonds et un
visage de chérubin... *(Un temps.)* Alors nous

avons éclaté de rire et il est devenu rouge comme
une écrevisse... Et le gangster qui jouait les barman et qui avait pris notre commande a répété
ce que le gosse avait dit aux types de la table à
côté... et ils ont éclaté de rire... et les types l'ont
répété à une autre table et ainsi de suite... si bien
qu'à la fin tout le monde rigolait... mais personne
ne riait aussi fort que nous... et personne, à notre
table, ne riait aussi fort que le môme qui avait tué
sa mère... Et alors, dans la boîte, tout le monde
s'est mis à commander en riant du mourron à
l'eau... Ensuite, bien sûr, les rires se sont un peu
calmés mais ils ne s'arrêtaient pas longtemps
parce qu'il y avait toujours, ici ou là, un type qui
commandait un verre de mourron... et ça recom-
mençait... *(Un temps.)* Cette nuit-là, on a bu à
l'œil, et le patron, le père-gangster, nous a offert
le champagne... Bien sûr, le lendemain, en quit-
tant New York, chacun dans son compartiment...
dans les trains qui nous ramenaient à la maison...
on était pas beaux à voir avec nos gueules de bois...
(Un temps.) Mais ç'a été le jour le plus beau...
de ma jeunesse.

> Il tend un verre à Nick sur le mot « jeu-
> nesse ».

NICK, très calme.

Merci. Et qu'est-ce qui est arrivé au gosse...
à ce gosse qui avait tué sa mère ?

GEORGE

Ça ne vous regarde pas.

NICK

Ah bon!... très bien!

GEORGE, un temps.

L'été suivant, sur une route de campagne, avec dans sa poche son permis de conduire tout neuf et son père assis à côté de lui, il a donné un coup de volant pour éviter un hérisson et s'est écrasé contre un arbre.

NICK, bas. Horrifié.

Non... ce n'est pas vrai...

GEORGE

Il en a réchappé, évidemment... mais à l'hôpital, quand il est revenu à lui et qu'on lui a dit que son père était mort, il paraît qu'il a éclaté de rire... et il riait de plus en plus fort, sans pouvoir s'arrêter... Il ne s'est calmé que lorsqu'on lui a enfoncé une aiguille dans le bras... Ce n'est que comme ça qu'il s'est calmé... en perdant conscience... ce n'est que comme ça qu'il s'est arrêté de rire. *(Un temps.)* Et quand il a été guéri de ses blessures... suffisamment rétabli pour qu'on puisse le transporter sans danger au cas où il se débattrait... on l'a enfermé dans un asile... *(Un temps.)* Il y a trente ans de ça...

NICK

Et... il y est toujours?

GEORGE

Oui oui... Et il paraît que depuis trente ans...
il n'a pas prononcé un seul mot.

Un temps assez long. Cinq secondes.
Puis :

MARTHA!... *(Un temps.)* MARTHA!...

NICK

Je vous ai dit qu'elle fait du café.

GEORGE

Pour votre petite femme hystérique qui se
gonfle et se dégonfle?

NICK

Qui se gonflait. C'est fini.

GEORGE

Fini? Plus rien?

NICK

Plus rien... Fini...

GEORGE, après un temps où sa mimique
marque une sorte de compréhension
du problème de Nick.

Ce qu'il y a de plus triste, chez l'homme...
enfin... une des choses les plus tristes, chez l'homme,
c'est sa manière de vieillir... Du moins chez *certains* hommes... Vous savez comment ça se passe,
chez les fous? Hein? Chez les fous... tranquilles...

NICK

Non...

GEORGE

Ils ne vieillissent pas... Ils ne changent pas.

NICK

C'est impossible... Ils vieillissent...

GEORGE

Oui... bien sûr... mais ils ne vieillissent pas normalement. Ils gardent un visage lisse, calme... Le fait de vivre à régime réduit... le sous-rendement de leurs facultés... les garde quasi... intacts.

NICK

Vous recommandez cette recette?

GEORGE

Non... mais certaines choses sont quand même très tristes. *(Brusque changement de ton. Et sur un ton de camelot ou de manager de boxe encourageant un jeune poulain.)* Allez, mon p'tit gars, t'laiss' pas abattre, fonc' dans l'tas... Allez hop, vas-y, p'tit... *(Un temps. Ton normal.)* Martha, elle, n'a jamais fait de grossesses nerveuses.

NICK

Ma femme n'en a fait qu'une.

GEORGE

Martha ne fait jamais de grossesses, nerveuses ou pas nerveuses.

NICK

Evidemment... A son âge... *(Un temps.)* Vous avez d'autres enfants? Des filles? Autre chose?

GEORGE, comme si c'était une énorme plaisanterie.

Si nous avons *quoi ?*

NICK

Si vous avez d'autres... je veux dire... vous n'avez qu'un seul... enfant... heu... votre fils?

GEORGE

Un temps.

Oui... un seul... *(un temps)* un garçon... *(geste d'évidence)* notre fils... *(sous-entendu : « en somme »).*

NICK

Ah bien!... c'est tout de même merveilleux!...

GEORGE

Hé hé!... oui... enfin... c'est une grande joie pour nous... C'est notre sécurité... notre sécurité sociale...

NICK

Votre quoi?

GEORGE

Sécurité... Vous ne pouvez pas comprendre. *(Il articule.)* Sé-cu-ri-té so-cia-le...

NICK

Je ne vous ai pas dit que j'étais sourd mais que je ne comprenais pas...

GEORGE

Non, vous n'avez pas dit ça...

NICK

Je voulais dire que je voulais dire que je ne comprenais pas. *(Bas.)* Et puis merde, après tout.

GEORGE

Vous devenez rudement nerveux.

NICK, nerveux.

Excusez-moi.

GEORGE

Je vous dis que notre fils... la prunelle de nos trois yeux — étant bien entendu que Martha est un cyclope — est notre sécurité sociale... et voilà que vous sautez en l'air...

NICK

Excusez-moi... Il est tard, je suis fatigué, je n'arrête pas de boire depuis neuf heures, ma femme est en train de vomir, ça hurle de tous les côtés dans cette maison...

GEORGE

Et ça vous rend nerveux... C'est normal. Mais ne soyez pas inquiet. Tous ceux qui viennent ici finissent par devenir... nerveux. C'est prévu. Vous en faites pas pour ça.

NICK, nerveux.

Je ne m'en fais pas.

GEORGE

Mais vous êtes nerveux.

NICK

Oui...

GEORGE, ton amical de confidence.

Pendant que nos charmantes femmes sont absentes... je voudrais que nous parlions franchement de... de ce qu'a raconté Martha tout à l'heure...

NICK

Moi, vous savez, je ne juge jamais personne... alors... ce n'est pas la peine, je vous assure, à moins que vous...

GEORGE

Si si si... Ecoutez-moi... Je sais que vous n'aimez pas être mêlé à... enfin... je sais que vous désirez conserver votre objectivité scientifique devant ce que... faute d'un meilleur terme... j'appellerai la Vie... mais, pourtant, je veux vous dire quelque chose...

NICK, avec un sourire de convention.

Je suis votre hôte. Je vous écoute.

GEORGE, avec ironie.

Eh bien!... merci. Voilà qui me fait grand plaisir.

NICK

Mais si vous avez l'intention...

MARTHA, off.

GEOOORGE...

NICK

... si vous avez l'intention de recommencer toutes vos histoires...

GEORGE, désignant la coulisse
d'où est venue la voix de Martha.

L'appel de la forêt...

NICK

Hein?

GEORGE

Les rugissements des fauves...

MARTHA apparaît mais ne passe que la tête.

Alors? Ça va, les enfants?

NICK

Ho!...

GEORGE

Tiens, voilà la nounou!...

MARTHA

Toi, la ferme!... *(A Nick.)* Nous allons beaucoup mieux... Nous prenons un café et nous revenons tout de suite.

NICK, qui ne bouge pas.

Vous n'avez pas besoin de moi?

MARTHA

Nooon... Restez là et écoutez bien tout ce que vous raconte George. Vous allez voir : c'est à crever d'ennui.

GEORGE

Schwein!

MARTHA

Hund!

GEORGE

Puta!

MARTHA

Tonto!

GEORGE

Mierda!

MARTHA a un geste comme si brusquement elle laissait tomber.

Haaaa... Bon, les gars, amusez-vous bien tous les deux... On revient tout de suite... *(En sortant.)* T'as nettoyé les saletés que t'as faites, George?

GEORGE

Martha sort. George s'adresse à elle comme si elle était présente.

Non, Martha, je n'ai pas nettoyé les saletés que j'ai faites... Il y a des années et des années que j'essaie de les nettoyer.

NICK

Ah... oui?

GEORGE

Quoi ?

NICK

Il y a vraiment des années et des années que vous essayez ?

GEORGE, après un long temps.
Il le regarde droit.

D'abord compromis, ensuite complice, enfin coupable... c'est à peu près ça le scénario que nous jouons, hein ?

NICK

Hé... n'essayez pas de me mettre dans le sac... dans *votre* sac.

GEORGE

Un temps.

Ah !... *(Un temps de réflexion.)* Non... bien sûr que non... Votre histoire est plus simple... Vous, vous épousez une femme parce qu'elle est gonflée tandis que moi, idiot et pauvre type que je suis...

NICK

Ce n'est pas uniquement parce qu'elle était gonf...

GEORGE l'interrompt.

Evidemment... Je parie qu'elle a aussi de l'argent, hein ?

NICK, surpris puis, carrément, après un temps.

Oui...

GEORGE

C'est vrai ? *(Tout content.)* C'est ça ? J'ai trouvé ?
En plein dans le mille ?

NICK

En réalité, n'est-ce pas...

GEORGE

Qu'est-ce que je suis bon tireur, hein ? Et pan !
Du premier coup ! Formidable !

NICK

En réalité...

GEORGE, conciliant.

Il y avait autre chose, d'accord, d'accord...

NICK

Oui.

GEORGE

... pour compenser.

NICK

Oui.

GEORGE

C'est toujours comme ça ! *(Il voit que Nick n'est
pas très content.)* Oui, oui... j'en suis sûr. Je parle...
très sérieusement. Il y a toujours des compensa-
tions... Par exemple, entre Martha et moi, on
pourrait croire à première vue...

NICK

Honey et moi avons été en quelque sorte élevés ensemble.

GEORGE

Oui, à première vue, on pourrait croire que notre vie n'est qu'une perpétuelle partie de catch, une histoire sans queue ni tête...

NICK

Nous nous connaissons... attendez... Oh! mon Dieu!... je crois bien depuis l'âge de cinq ou six ans...

GEORGE

... mais au début... au commencement de tout ça... lorsque je suis arrivé ici... au tout début...

NICK, légèrement irrité, car George ne l'écoute pas.

Pardon... Excusez-moi...

Il se tait.

GEORGE

Hein? Oh!... non, non... je vous en prie, c'est moi qui m'excuse.

NICK, très « après vous, je vous en prie... ».

Non... non... Je vous écoute.

GEORGE, id.

Mais non... c'est moi.

NICK

Vraiment... Je vous en prie.

GEORGE

Vous êtes ici chez moi. Allons, je vous écoute!

NICK, un temps.

Eh bien!... ça peut paraître idiot... maintenant...

GEORGE

Mais absolument pas... *(Un temps. Ravi et curieux. Trop curieux.)* Mais, dites, si vous aviez six ans, quel âge avait-elle, elle? Deux, trois ans?

NICK

Disons que j'avais huit ans et qu'elle en avait six. Nous aimions jouer... au docteur.

GEORGE, approbatif.

Mais c'est une excellente initiation hétéro-sexuelle! C'est tout à fait sain!

NICK, riant.

Oui, oui...

GEORGE, clin d'œil.

Déjà passionné par la biologie, hein?

NICK rit.

Ouais... Et comme nos familles estimaient que ça arriverait un jour ou l'autre... et comme Honey et moi avons dû sans doute penser la même chose — alors... eh bien! c'est arrivé.

GEORGE

C'est arrivé... *quoi?*

NICK

Nous nous sommes mariés.

GEORGE, faussement surpris.

A huit ans?

NICK

Non... bien sûr... beaucoup plus tard.

GEORGE, rassuré.

Ah bon!... Je me disais aussi...

NICK

Je n'irai pas jusqu'à prétendre qu'il y a eu de la *passion* entre nous... même au début de notre mariage.

GEORGE, compréhensif.

Oui... J'imagine qu'après avoir joué au docteur à six ans, ça n'a pas dû être la surprise totale, la découverte merveilleuse du septième ciel, etc., etc.

NICK

Non.

GEORGE, blasé.

Vous savez, c'est toujours à peu près pareil... et même avec les négresses et les chinoises...

NICK

Pardon?

GEORGE

Attendez, on va boire un verre...

Il prend d'autorité le verre de Nick.

NICK

Merci. Il arrive un moment où l'alcool ne fait plus d'effet, hein?

GEORGE

Si, si, il en fait un... Mais c'est différent... tout se ralentit... tout devient plus étouffé... on est abruti... à moins évidemment d'aller tout expulser, comme votre femme. Alors, on peut remettre ça.

NICK

On boit beaucoup, ici, hein? *(Il réfléchit.)* On boit beaucoup... partout.

GEORGE

Nous buvons énormément, dans ce pays, et je crois que nous boirons de plus en plus... si nous n'en mourons pas. Mais parlez-moi un peu de la fortune de votre femme.

NICK, soudain méfiant.

Et pourquoi?

GEORGE

Bon... n'en parlons pas.

NICK

Pourquoi voulez-vous que je vous parle de la fortune de ma femme? *(Dur.)* Hein?

GEORGE, qui répond n'importe quoi
mais qui, en fait, a peur d'avoir été deviné.

Ben... je pensais que ça pouvait être intéressant... que ce serait... amusant.

NICK

Ce n'est pas ça que vous pensiez...

GEORGE, conciliant. Jette du lest.

D'accord... d'accord... Je voulais me renseigner sur ce sujet... parce que... eh bien... parce que je suis très intéressé par la méthodologie... par les moyens pratiques que vous allez employer, vous, les jeunes, pour vous emparer des commandes.

NICK, hostile.

J'ai compris : vous recommencez vos histoires, hein ?

GEORGE

Moi ? Ah ça !... pas du tout... Absolument pas... Vous savez... Martha a de l'argent, aussi. Son père écume la place depuis des années et...

NICK

C'est faux. Ce n'est pas vrai.

GEORGE

Et qu'est-ce que vous en savez ?

NICK

C'est faux...

GEORGE hausse les épaules.

Très bien... Disons que le père de Martha n'écume pas la place depuis des années et que Martha n'a pas un sou. Ça vous va ?

NICK

Nous parlions de l'argent de *ma* femme... pas de l'argent de la *vôtre*.

GEORGE

Bon... Eh bien, parlons-en...

NICK

Non... *(Un temps. Puis :)* Mon beau-père... était un homme d'une foi très profonde. Il était aussi très riche.

GEORGE

... mais d'une foi très profonde.

NICK

C'est très tôt, dès l'âge de cinq ou six ans, que mon beau-père a entendu l'appel de Dieu... Oui, très tôt... Ensuite, il s'est mis à prononcer des discours pleins de piété, à inviter les gens à penser à leur salut et à voyager un peu partout... Il est devenu alors très célèbre... pas comme le docteur Schweitzer évidemment... Mais il est devenu quand même très célèbre... et, quand il est mort, il a laissé pas mal d'argent.

GEORGE

C'était l'argent du bon Dieu.

NICK

Non... le sien.

GEORGE

Et où est passé l'argent du bon Dieu ?

NICK

Il l'a dépensé... Il a construit des hôpitaux; il a expédié des bateaux pleins de colis gratuits aux quatre coins du monde; il s'est occupé de taudis et de vacances; il a construit trois machines en bois qui ressemblaient à des églises... deux ont d'ailleurs brûlé complètement... et, finalement, il est mort très riche.

GEORGE, après un temps de brève hésitation.

Eh bien!... mais voilà qui est excellent!

NICK

Oui... *(Un temps. Il a un petit rire étouffé.)* Donc, ma femme a de l'argent.

GEORGE

Mais ce n'est pas l'argent du bon Dieu.

NICK

Non. C'est *son* argent.

GEORGE

Eh bien!... mais voilà qui est excellent! *(Nick a son petit rire.)* Martha a aussi de l'argent car la deuxième femme du père de Martha — pas la mère de Martha mais celle que le père de Martha a épousée après la mort de la mère de Martha — était une très vieille dame couverte d'or et cousue de verrues.

NICK, corrigeant.

Cousue d'or et couverte de verrues...

GEORGE

Oui, c'est ça.

NICK

Une vraie sorcière, hein?

GEORGE

Une très gentille sorcière qui a épousé le rat blanc... *(Nick commence à glousser)* aux tout petits yeux rouges. Et le rat a dû grignoter les verrues et la sorcière avec... puisque le tout s'est évanoui presque immédiatement en un petit nuage de fumée. Puuuuuf...

NICK

Puuuf...

GEORGE

Puuuuuf... Et tout ce qu'on a retrouvé, ç'a été un remède contre les verrues et une sorte d'énorme testament... Un gâteau énorme à découper en tranches. Et une portion pour la municipalité de La Nouvelle-Carthage; et une portion pour l'université; et une portion pour le papa de Martha... et des miettes pour Martha.

NICK rit.

Mon beau-père et la sorcière aux verrues auraient fait un très joli couple... C'était un rat, lui aussi, vous savez...

GEORGE, l'encourageant.

Lui aussi? Vraiment?

NICK, dont la gaieté va croissant.

Oui... un rat d'église. *(Ils rient tous les deux d'une sorte de rire sinistre. Le rire se calme. Silence.)* Votre femme ne parle jamais de sa belle-mère, hein?

GEORGE réfléchit.

C'est que... tout ce que je viens de vous raconter est peut-être faux.

NICK

Ou peut-être vrai?

GEORGE

Peut-être vrai... peut-être faux. En tout cas, votre histoire de poupée qui se gonfle comme un pneu et de beau-père curé est excellente.

NICK

Ce n'était pas un curé... C'était un homme au service de Dieu.

GEORGE

C'est ça.

NICK

Et ma femme n'était pas gonflée comme un pneu mais toute ronde, comme un ballon.

GEORGE

C'est ça, c'est ça.

NICK, avec son petit rire.

J'aime l'exactitude dans les détails.

GEORGE

C'est ça... Excusez-moi : vous avez raison.

NICK

Parfait...

GEORGE, un temps.
Puis sur un ton très naturel.

Vous comprenez bien, n'est-ce pas, que si je vous ai fait accoucher de toute cette histoire, ça n'est pas parce que je porte un quelconque intérêt à votre sinistre passé, mais parce que vous représentez pour moi un danger précis et immédiat. C'est pour cette seule raison que j'ai besoin d'en savoir le plus possible sur votre compte.

NICK, toujours amusé.

Mais oui... mais bien sûr...

GEORGE, ton très léger d'avertissement.

Enfin... J'aurai été franc... Je vous ai prévenu... Vous êtes prévenu, hein ?

NICK

C'est ça : je suis prévenu. *(Il rit. Puis regarde droit George.)* Vous savez ce qui me répugne le plus dans la vie ? Les reptiles sournois de votre espèce. Les ratés qui deviennent des salauds. Rien de pire...

GEORGE

C'est juste : rien de pire... Des sournois qui se battent à coups de manchette dans la gueule et à coups de genoux dans le ventre... Rien de pire.

NICK

Ouais.

GEORGE

Eh bien!... Je suis très content que vous ne me croyiez pas... D'ailleurs, l'Histoire vous donne raison... Toute l'Histoire est de votre côté.

NICK

Tut, tut... l'Histoire est *votre* affaire. Moi, mon alliée, c'est la Biologie. *(Il désigne George.)* L'Histoire... *(Il se désigne lui-même en pointant un doigt sur sa poitrine.)* La Biologie...

GEORGE

Oui, oui... je vois la différence.

NICK

On ne dirait pas.

GEORGE

C'est que je croyais que voux alliez d'abord prendre la direction du groupe d'Histoire avant de mettre la main sur toute l'affaire... Je croyais que c'était là votre plan... avancer un pion après l'autre.

NICK s'étire, joue le jeu avec insolence
afin de marquer son mépris à George.

Naaaaaa... Voilà, je crois, comment je vais m'y prendre... D'abord, je me faufile un peu partout... Je tâte le terrain, je découvre les failles... je les bouche — mais je m'arrange pour que ça se sache, hein... — et je deviens une sorte de... de fait accompli... Bon... ensuite, je m'arrange pour apparaître comme...

GEORGE

Inévitable ?

NICK

Voilà ! C'est ça ! Inévitable ! Vous voyez ça, hein ? Je soulage les vieux professeurs de quelques cours ; je prends l'initiative de former des groupes d'études... *(Un temps.)* Je m'occupe de très près de quelques femmes intéressantes...

GEORGE

Attention... Vous pouvez arriver à soulager les vieux professeurs de tous les cours que vous voudrez, vous pouvez suer sang et eau à faire du sport avec les jeunes assistants, tout ça sera du temps perdu tant que vous ne vous serez pas farci les femmes... intéressantes. *(Sur un ton presque sentencieux.)* Pour pénétrer dans le cœur d'un homme, il faut passer sur le ventre de sa femme. N'oubliez jamais...

NICK, toujours jouant le jeu.

Ouais... je sais.

GEORGE

Car, les femmes, ici, sont très exactement des *putas* — comme on dit en Amérique du Sud. Vous savez ce qu'elles font, les putas, en Amérique

du Sud, à Rio? Elles sifflent... comme des oies...
Elles sont là, au coin des rues, et elles sifflent, sur
votre passage, comme une bande d'oies.

NICK

Troupe.

GEORGE

Pardon?

NICK

On dit troupe... troupe d'oies... pas bande...
troupe.

GEORGE

Au fait.

Aah!... Bon... *(Précis.)* mais je vous signale
que si vous voulez faire le malin, en ornithologie,
c'est troupeau... ça n'est pas troupe mais troupeau.

NICK

Troupeau?

GEORGE

Parfaitement. Troupeau d'oies.

NICK, vexé.

Ah!...

GEORGE

Ah... oui!... Et vous verrez toutes les épouses des
professeurs, ici, à La Nouvelle-Carthage, plantées

devant le super-marché et qui sifflent aussi comme un troupeau d'oies. *(Un temps.)* Pour prendre le pouvoir, un seul moyen : les sauter! Toutes!...

NICK, toujours jouant le jeu.

Vous avez raison : j'en suis sûr.

GEORGE

Bien sûr que j'ai raison...

NICK, avec le naturel le plus absolu.

Et je parie que l'oie la plus intéressante du troupeau, c'est votre femme, non? Fille du président, etc.

GEORGE

Pariez et c'est gagné!... *(Un temps.)* C'est ce qu'on appelle la fatalité historique...

NICK

Oui oui oui oui... je vois je vois je vois... *(Il se frotte les mains.)* Donc, à votre avis, ce que j'ai de mieux à faire, c'est de la coincer derrière une porte et de me la faire aussi sec?

GEORGE

C'est exactement ce que vous avez de mieux à faire!

NICK regarde George un long temps
avec une vague expression de dégoût. Lent.

Je me demande parfois si vous parlez sérieusement.

GEORGE lève son verre comme pour porter un toast.

Non, mon petit, c'est *vous* qui vous demandez si *vous* parlez sérieusement... *(un temps)* et ça vous fait peur.

NICK explose.

Moi?

GEORGE, calme.

Hé oui!... vous!

NICK

Vous plaisantez?

GEORGE, paternel.

Hélas! non... Mais si vous voulez, je peux vous donner quelques bons petits conseils...

NICK

De bons conseils... Vous... Non, sans blague.

Il se met à rire.

GEORGE

On ne vous a encore jamais appris qu'il faut prendre les bons conseils où ils se trouvent? Ecoutez-moi...

NICK

Ne m'emmerdez pas!

GEORGE

Je vous assure que ce sont de très bons petits conseils.

NICK

Et moi je vous dis que vous m'emmerdez.

GEORGE

Attention... Il y a des sables mouvants dans le coin et vous serez aspiré comme...

NICK

Sans blague?...

GEORGE

Avant même de vous en apercevoir, vous serez aspiré, avalé, digéré... *(Nick rit : insolence et mépris. George le regarde, attendant. Nick cesse de rire. Alors, George.)* En principe, vous me dégoûtez... Oui, personnellement, je vous trouve répugnant... mais j'essaie de vous accrocher un parachute au dos. VOUS ENTENDEZ ?

NICK, toujours riant.

Je vous entends. Je ne suis pas sourd.

GEORGE

Bon... Très bien. Vous voulez jouer tout seul, hein? *(Un temps.)* De toute façon, ça marchera... Vous êtes dans le sens de l'histoire, pas vrai?

NICK

C'est ça... c'est ça... Occupe-toi de ton tricot, grand-mère... Laisse-moi faire...

GEORGE

J'ai essayé de... vous tendre la main... de...

NICK

... d'avoir un contact?

GEORGE

Oui.

NICK, froid.

... de créer un rapport?

GEORGE

Exactement.

NICK

Ah!... c'est touchant!... c'est même bouleversant!... Ah ça! c'est trop beau! *(Avec une colère brusque. Dur.)* Eh bien! moi, je vous dis que vous pouvez aller vous faire mettre!

GEORGE

Pardon?

NICK, dur.

Vous avez parfaitement entendu...

GEORGE, à la fois s'adressant à Nick et à lui-même.
Triste mais sur fond d'ironie.
Et faussement prophète.
Toujours ce « double ton » de George.

On se donne la peine de construire une civilisation... de... d'organiser une société selon des principes... de... selon UN principe... On s'efforce de découvrir les lois de l'ordre naturel... de fonder une morale à partir de ce chaos qu'est l'esprit humain... On invente les arts et les gouvernements...

et on s'aperçoit que tout ça... que l'ordre, le désordre... c'est la même chose. *(Un léger temps.)* On va jusqu'au fond du désespoir... jusqu'à ce seuil où il y a quelque chose à perdre vraiment... Alors, tout d'un coup, à travers cette musique, au milieu de cette symphonie d'hommes qui bâtissent, qui entreprennent, alors éclate le *Dies Irae.* Et qu'est-ce qu'on entend? Qu'annoncent-elles ces trompettes? *(Un temps.)* Qu'il faut aller se faire mettre! *(Un temps.)* Mais c'est peut-être juste, après tout... *(Il hoche la tête.)* Va te faire mettre!...

NICK, un temps. Il applaudit.

Ha!... Bravo... Bravo!... *(Il rit.)*

Entre Martha soutenant Honey, pâle, mais qui sourit courageusement.

HONEY

Merci... merci...

MARTHA

Nous voici... Pas très gaillardes, mais nous tenons debout.

GEORGE

Voilà qui est très bien.

NICK

Honey? Honey... ça va mieux?

HONEY

Un tout petit mieux, chéri... mais il faut que je m'assieds...

NICK

Oui oui... viens ici... assieds-toi là...

Il désigne la place à côté de lui.

HONEY

Merci, chéri.

GEORGE, bas.

Attendrissant... charmant...

MARTHA, à Georges.

Alors? T'as préparé tes excuses?

GEORGE

Mes excuses... pour quoi?

MARTHA

Pour avoir fait vomir la petite dame.

GEORGE

Moi? Moi j'ai fait vomir...

MARTHA

Oui. Tout ce qu'il y a de plus certain.

GEORGE

Mais... c'est faux.

HONEY, avec un geste las et plein d'onction.

Non... voyons... non... laissez...

MARTHA, à George.

Alors, à qui la faute, à ton avis? *(Elle désigne Nick.)* A l'Apollon des Sofas, là? Tu crois qu'il est capable de rendre sa petite femme malade?

GEORGE, pas du tout agressif.
Ton de constatation.

En tout cas, toi, tu me rends malade.

MARTHA

C'EST PAS LA MÊME CHOSE!

HONEY

Non... voyons... je dégueule... enfin, je veux dire que j'ai mal au cœur... de temps en temps... sans aucune raison... C'est de ma faute.

GEORGE, ironique.

Ah oui? Sans blague?

NICK, comme s'il soufflait à Honey.

Tu as... tu as toujours été fragile, Honey.

HONEY, fière.

J'ai toujours fait ça.

GEORGE

Pratique pour régler sa montre, hein?

NICK, dur, bas.

Vous... doucement...

HONEY

Mais les docteurs disent que... du côté des organes... ils disent que je n'ai absolument rien.

NICK

Bien sûr, bien sûr... mon chéri.

HONEY

Par exemple, juste avant notre mariage, j'ai eu... l'appendicite. Tout le monde, en tout cas, *croyait* que c'était l'appendicite. Mais c'est devenu... — c'était... *(Rire bref.)* une fausse alerte.

> George et Nick échangent un bref et froid coup d'œil.

MARTHA, à George.

Donne-moi un verre. *(George se dirige vers le bar.)* George rend tout le monde malade... Quand notre fils était encore tout petit, il s'était mis...

GEORGE

Arrête, Martha...

MARTHA

... il s'était mis à dégueuler sans arrêt à cause de George...

GEORGE

J'ai dit : arrête !

MARTHA

C'en était arrivé à ce point que, dès que George entrait dans sa chambre, il commençait à heueueu.. heueueu...

> Elle hoquète comme quelqu'un qui va vomir.

GEORGE

... La vraie raison *(Il crache les mots.)* qui faisait vomir notre fils, c'est tout simplement parce qu'il ne pouvait pas supporter que tu le touches sans arrêt, que tu entres en coup de vent dans sa chambre avec ton kimono ouvert, que tu le tripotes tout le temps et que, tout en lui soufflant au nez ton haleine d'ivrogne, tu lui passes les mains sur...

MARTHA

Ah ouais? Et c'est peut-être aussi pour ça qu'il a fait deux fugues en un mois, hein? *(A Nick et Honey.)* Deux fugues en un mois! Six en un an!

GEORGE, également à Nick et Honey.

Notre fils faisait tout le temps des fugues parce que Martha le coinçait tout le temps derrière les portes.

MARTHA, hurlant.

De ma vie, je n'ai jamais coincé ce petit salaud nulle part!

GEORGE, il tend un verre à Martha.

Quand je rentrais à la maison, il se précipitait vers moi en criant : « Maman est tout le temps en train de me faire des choses! » Pauvre gosse!

MARTHA

Menteur!

6

GEORGE, haussant les épaules.

Mais non, c'est la vérité... tu étais tout le temps en train de lui faire des choses. C'était extrêmement déplaisant...

NICK

Si vous pensez que c'était tellement déplaisant, pourquoi en parlez-vous?

HONEY, avec reproche.

Voyons, chéri...

MARTHA

Très juste... *(A Nick.)* Merci, trésor.

GEORGE, à la ronde.

Je ne voulais pas parler de lui. J'aurais été très heureux que toute cette histoire ne vienne pas sur le tapis... Je n'ai jamais envie de parler de ça...

MARTHA

Mais tu en parles.

GEORGE

Oui, peut-être... Quand nous sommes seuls.

MARTHA

Mais... nous sommes *seuls.*

GEORGE

Heu... non... mon amour... nous avons des invités.

MARTHA, avec un regard concupiscent vers Nick.

Ah oui!... c'est vrai!...

HONEY

Je peux avoir un peu de cognac? J'ai envie d'un peu de cognac.

NICK

Tu crois que c'est raisonnable?

HONEY

Mais oui... chéri... oui!

GEORGE, se dirigeant vers le bar.

Bien sûr... Faut faire le plein.

NICK

Vraiment, Honey, je crois que tu ne devrais pas...

HONEY, agressive.

Et moi, je crois que je dois!... Je me sens encore un peu faible...

GEORGE

C'est normal... Vous n'avez vidé que la moitié de la bouteille... Il faut faire les choses correctement. Jusqu'au bout.

HONEY

Ça, c'est vrai... *(A Martha.)* J'adore le cognac...

MARTHA, qui pense à autre chose.

Tant mieux pour vous.

NICK, renonçant à raisonner Honey.

Bon, si tu crois que ça peut te faire du bien...

HONEY, irritée.

Je sais ce qui me fait du bien, chéri.

NICK, avec un sarcasme dans la voix.

Mais oui... j'en suis sûr.

HONEY

George lui tend le verre.

Oh! formidable!... Merci... *(A Nick.)* Oui, parfaitement, mon chéri.

GEORGE, rêveur.

Autrefois, je buvais du cognac.

MARTHA, à part.

Tu buvais du mourron, aussi.

GEORGE, dur.

Ta gueule, Martha.

MARTHA

La main sur la bouche avec un geste enfantin. Comme un enfant qui a laissé échapper un gros mot.

Oooooooh!...

NICK, à qui cela rappelle
vaguement quelque chose.

Hein?

GEORGE, fébrile, afin de distraire Nick.

Rien... c'est rien...

MARTHA, id.

Alors, vous deux, vous avez bien bavardé pendant que les dames n'étaient pas là? George vous a exposé sa vision du monde? Ça tire les larmes, non?

NICK

Heu... non...

GEORGE

Non... en réalité, nous avons... tourné autour du pot... en dansant d'un pied sur l'autre.

MARTHA

Ah ouais? Amusant, ça.

HONEY

Oh! j'adore danser!

NICK

Ce n'est pas ce qu'il veut dire, voyons, Honey.

HONEY

Mais j'ai compris! Deux hommes en train de danser... Oh! mon Dieu!

Elle a un petit rire.

MARTHA

Alors, comme ça, il ne vous a pas expliqué quelle fabuleuse carrière il aurait pu faire, sans papa? Il ne vous a pas dit que ce sont uniquement ses scrupules moraux qui le paralysent? Non?

NICK

Non...

MARTHA

Et il ne vous a pas expliqué de long en large comme il a essayé de publier une saloperie de livre et comment papa l'en a empêché?

NICK

Un livre? Non...

GEORGE

Martha, je t'en prie...

NICK, encourageant Martha.

Un livre? Et quel livre?

GEORGE, suppliant.

Je vous en prie... Un livre, c'est tout.

MARTHA, avec ironie.

Un livre... C'est tout.

GEORGE

Je t'en prie, Martha.

MARTHA, presque déçue.

Bon... Je vois que vous n'avez pas eu droit au numéro complet. Qu'est-ce qui t'arrive, George? Tu abandonnes?

GEORGE, calme et sérieux.

Non... non... Je suis tout simplement en train de mettre au point une nouvelle tactique pour te combattre, Martha. La guérilla... peut-être la subversion interne... je ne sais pas. Je cherche.

MARTHA

Très bien... Cherche et quand tu auras trouvé, fais-moi signe.

GEORGE, enjoué.

D'accord, mon chéri.

HONEY

Pourquoi on ne danse pas? J'adore danser, moi.

NICK

Honey...

HONEY

Mais j'ai envie, moi! Je *veux* danser!

GEORGE, dur.

Parfait... nous allons danser.

HONEY, douce à nouveau.

A Martha.

Oh!... je suis très contente... J'adore danser! Et vous?

MARTHA, avec un coup d'œil à Nick.

Ouais... ouais... c'est pas une mauvaise idée.

HONEY

Je danse comme une fée.

MARTHA, sans autre commentaire.

Ah ouais?

GEORGE, choisissant un disque.

Jadis, Martha a eu son *daguerréotype* dans une *gazette*... Oh! il y a bien un quart de siècle de ça... Il paraît qu'elle avait obtenu le deuxième prix, dans un marathon de danse, en maintenant son partenaire debout à la force du poignet.

MARTHA

Mets un disque et ferme-la!

GEORGE

D'accord, chérie. *(A la ronde.)* Qu'est-ce qu'on va faire? Des doubles mixtes?

MARTHA

Dis... tu ne crois pas quand même que je vais danser avec *toi*, non?

GEORGE

Un temps.

Nooooon... avec le petit dans le coin... évidemment, pas avec moi. Et pas avec la petite Nijinsky non plus...

HONEY

Moi, je danse avec tout le monde... Je danse toute seule!

NICK

Honey...

HONEY

Je danse comme une fée!

GEORGE

Au boulot, les enfants! Allons-y et que ça saute!...

Musique. C'est le 2e mouvement de la 7e symphonie de Beethoven.

HONEY, qui s'est levée et danse toute seule.

La, la *la* la, la la li, tra *la*-la...

NICK

Honey...

MARTHA

Ça va, George... arrête ça.

HONEY

Tra, la la li la, tra-la la, la la la la... la la la...

MARTHA

Arrête ça, George.

GEORGE, comme s'il n'entendait pas.

Quoi, qu'est-ce qu'il y a, Martha?

NICK

Honey...

MARTHA, comme George augmente le volume.

Arrête ça, George!

GEORGE

Quoi?

MARTHA se lève et marche rapidement
vers George. Menaçante.

Ça t'amuse, sale con?

GEORGE arrête le disque. Calme.

Qu'est-ce que tu dis, chérie?

MARTHA

Espèce de sale...

HONEY, figée dans une pose.

Vous avez arrêté. Pourquoi vous avez arrêté?

NICK

Honey...

HONEY, à Nick, claquant des doigts.

Toi, ça va...

GEORGE

Excuse-moi, Martha, mais je croyais que c'était
de circonstance.

MARTHA

Ah oui! c'est ce que tu croyais?

HONEY, à Nick.

Dès que je m'amuse, tu deviens méchant.

NICK, faisant effort.

Excuse-moi, Honey.

HONEY

Bon... Laisse-moi tranquille!

GEORGE

Eh bien!... choisis toi-même, Martha. *(Il laisse Martha s'occuper du tourne-disque.)* Martha va nous arranger ça...

HONEY

Tu sais que j'aime beaucoup ça et toi tu ne me laisses jamais danser.

NICK

Mais si, voyons, j'aime bien que tu danses.

HONEY

... Laisse-moi tranquille!

Elle s'assied, prend un verre.

GEORGE

Martha va nous mettre quelque chose qu'elle comprend... « La Passion selon saint Matthieu », peut-être... *(Il va s'asseoir à côté de Honey. A Honey.)* Ça va, mon petit poulet?

HONEY glousse.

Oooooh!...

GEORGE

(Il rit.) Ha ha ha ha!... *(A Martha.)* Alors, Martha, tu accouches?

MARTHA, occupée à trafiquer le tourne-disque.

Ça vient.

GEORGE, à Honey. Cérémonieux.

Voulez-vous danser avec moi, petite crotte divine?

NICK

Comment appelez-vous ma femme?

GEORGE, surprise feinte.

Comment? C'est à moi que vous parlez?

HONEY, capricieuse.

Ou bien je danse comme j'aime ou bien je ne danse avec personne. Je préfère rester là et...

Elle hausse les épaules et boit.

MARTHA qui a mis un slow.

Voilà. C'est parti. On y va?

Elle attrape Nick.

NICK, littéralement extrait de son siège
par Martha.

Hein? Oh! pardon!...

MARTHA l'enlace.

Allez!...

Ils dansent serrés l'un contre l'autre

HONEY boude.

Ben... nous... on va rester assis et regarder.

GEORGE

C'est *ex-ac-te-ment* ça...

MARTHA, à Nick.

Ho!... mais c'est que vous serrez très fort!...

NICK

Heu...

MARTHA

J'aime ça. J'aime ça.

NICK

Heu...

HONEY

On dirait qu'ils ont toujours dansé ensemble.

GEORGE

Oh!... c'est une danse très connue... Ils connaissent ça par cœur... C'est un air très vieux...

MARTHA, à Nick.

Soyez pas timide, voyons...

NICK

Mais je ne le suis pas...

GEORGE, à Honey, mais comme s'il se parlait à lui-même.

C'est un rite très ancien, petit ouistiti, très très ancien...

HONEY

Ah oui ? Mais qu'est-ce que vous voulez dire ?

George hoche lentement la tête.

Nick et Martha se séparent et, tout en dansant, viennent se placer l'un du côté de
George, l'autre du côté de Honey. Ils
bougent à peine les pieds mais leur corps
ondule... comme s'ils se frottaient l'un
contre l'autre.

MARTHA

J'aime beaucoup votre manière de... *(geste vif
de la main qui trace un S dans l'air)*... remuer.

NICK

Moi aussi, j'aime beaucoup votre manière de...
remuer.

GEORGE, à Honey et traçant un S.

Ils aiment beaucoup leur manière de... remuer.

HONEY, qui rêvasse.

Eh oui !...

MARTHA, à Nick.

Ce qui m'étonne, c'est que George ne vous ait
pas fait son numéro.

GEORGE, à Honey.

Ils sont très mignons, vous ne trouvez pas ?

NICK, à Martha.

Non, il ne me l'a pas fait.

MARTHA

Ça m'étonne...

> Les propos de Martha peuvent peut-être
> s'inscrire plus ou moins sur le rythme de
> la musique.

NICK

Ah oui?

MARTHA

Ouais... d'habitude il ne rate jamais l'occasion.

NICK

Je regrette mais...

MARTHA

C'est d'ailleurs un numéro absolument sinistre...

GEORGE

Tu es vraiment trop douée, Martha...

NICK, qui continue sa conversation avec Martha.

Ah oui! tellement sinistre?

MARTHA

Oh là là!... Ça tire même les larmes...

GEORGE

Attention! Martha, méfie-toi de ton talent!...

NICK

A ce point? Sinistre à ce point?

GEORGE, à Nick.

Ne l'encouragez pas, jeune homme...

MARTHA, langoureuse.

Encouragez-moi...

NICK, provoquant délibérément George.

Allez-y...

Ils ondulent l'un vers l'autre puis de nouveau s'écartent.

GEORGE, à Nick.

Je vous préviens... ne l'encouragez pas.

MARTHA, à Nick.

Il vous prévient... ne m'encouragez pas.

NICK

J'ai entendu... Racontez.

MARTHA, comme si elle récitait un poème.

Ben, le petit Jojo, il y a de ça longtemps,
Avait de l'ambition mais un passé chargé.

GEORGE, qui donne calmement un avertissement.

Attention! Martha!...

MARTHA

Alors petit Jojo a écrit un roman
Et ce fut son premier et son dernier essai.
Ho!... Je fais des vers, je fais des vers!

GEORGE

Martha, je te préviens...

NICK

Oui oui... vous faites des vers. Continuez... Continuez...

MARTHA, ton de bienveillance
comme si elle revivait les divers sentiments
qu'éprouva son père.

Mais papa sur le livre un coup d'œil a jeté.

GEORGE

Tu cherches a avoir mon poing sur la gueule... C'est bien ça, Martha?

MARTHA, ton « choqué ».

... et tout ce qu'il a lu l'a *tellement* choqué!

NICK

Enormément choqué?

MARTHA

Oui, énormément. Parce que c'était l'histoire d'un méchant garnement.

GEORGE se lève.

Je ne tolérerai pas ça, Martha!

NICK, calme, à George : comme à un trouble-fête.

Oh! ça va, vous... ça va!

MARTHA

... Ha... ha!...
... qui avait liquidé papa et maman!

GEORGE

Arrête, Martha!

MARTHA

Alors papa a dit... Hé là, attention, et vous croyez que je vais vous laisser publier une chose pareille?

GEORGE se précipite sur le phonographe...
ôte brutalement le disque.

Voilà! Fini de danser! Vas-y! Continue maintenant!

NICK

Hé! dites, ça va pas mieux, vous?

HONEY, tout heureuse. Elle frappe dans ses mains.

Ho? ça y est... Ils vont se battre!

MARTHA

Ha, ha, ha, ha!

Haut. Comme si elle imitait son père en train de sermonner noblement et fortement George.

Alors, papa a dit... Dites, mon garçon, est-ce que vous croyez une seconde que je vais vous laisser publier cette saloperie, hein? Jamais de la vie, mon petit... tant que vous serez professeur ici, jamais! Ou bien vous publiez votre livre dégueulasse mais alors, moi, je vous fous dehors à grands coups de pied au cul... Compris?

GEORGE, jouant les acteurs de mélodrame accablés.

Trêve de ces propos, je demande merci!

MARTHA

Ha, ha, ha, ha!...

NICK, riant.

Mer... ci!

HONEY, ravie.

Ils vont se tuer! Se crever les yeux!

MARTHA, toujours imitant son père.

Non, mais c'est incroyable! Monsieur est professeur dans une université respectée et respectable; Monsieur vit dans une ville respectée et respectable comme La Nouvelle-Carthage et Monsieur publierait un livre... pareil? Si vous avez le moindre souci de votre situation ici, jeune homme, jeune... galopin, vous allez me jeter immédiatement ce manuscrit au ruisseau!

GEORGE

Je ne tolère pas qu'on se moque de moi!

NICK, riant.

Ah ça! par exemple! Il ne tolère pas qu'on se moque de lui!

Honey se met aussi à rire sans très bien savoir pourquoi.

GEORGE

Je ne tolère pas! *(Les trois continuent de rire.)* *(Furieux.)* Fini de jouer! La partie est terminée.

MARTHA, continuant de le provoquer.

Non, imaginez-vous un peu... L'histoire d'un gosse qui massacre père et mère et qui prétend que c'est par accident.

HONEY, au comble de la joie.

Par accident... Par accident! Ça alors!

NICK, qui commence à se souvenir.

Hé!... attendez une seconde!...

MARTHA, voix normale.

Et vous voulez connaître le fin mot de l'histoire? Vous voulez savoir ce que le bon gros Jojo a répondu à papa?

GEORGE

Non, non, non et non!

NICK

Hé!... du calme!...

MARTHA

Jojo a dit... mais voyons papa... ou plutôt... ha ha ha ha!... il a dit... mais *monsieur*, ça n'a rien à voir avec un *roman*... *(Imitant son père.)* Hein? Rien à voir avec un roman? *(Imitant la voix de George.)* Non, monsieur, ce n'est pas un roman...

GEORGE

Il marche vers elle.

Tu vas te taire, Martha...

NICK, flairant le danger.

Hé!... Hé là!...

MARTHA

Mon cul! Allez, tire-toi de là, ordure! *(Elle recule légèrement. Reprenant la voix de George.)* Non, monsieur, ce n'est absolument pas un roman... C'est une histoire vraie... C'est vraiment arrivé... A moi!

GEORGE lui saute dessus,
l'empoigne à la gorge. Ils se battent.

Je vais te tuer, salope!

NICK les sépare.

Hé là!... Hé hé!... Hé là!...

HONEY

Elle crie.

Ils se tuent! Ils se tuent!

George, Martha et Nick se battent, hurlent, etc.

MARTHA

C'est arrivé! A moi! A moi!

GEORGE

Charogne!... Salope!...

NICK

Arrêtez!... Ça suffit!... Stop!

HONEY

ILS SE TUENT! ILS SE TUENT!

> Les trois luttent. George serre Martha à la gorge. Nick l'agrippe, le sépare de Martha, le jette à terre où il l'écrase de tout son poids. Martha, debout, se masse le cou.

NICK

Bon, maintenant, c'est terminé, hein?

HONEY, très déçue.

Ho... hooo... ho!

> George se relève et marche pesamment vers un fauteuil. Il est plus humilié que « sonné ».

GEORGE

> Tous le regardent. Un temps.

Très bien... d'accord... on va être sage... nous allons tous... être bien sages.

MARTHA, doucement,
avec un très lent mouvement de tête.

Assassin... A... ssa... ssin...

NICK, doucement, à Martha.

Ça va, maintenant... Arrêtez...

> Un temps. Ils bougent lentement. Mouvements lents et fatigués de lutteurs qui récupèrent.

GEORGE affecte d'être soudain décontracté
mais très nerveux en réalité.

Eh bien!... La première manche est terminée.
On joue à quoi maintenant? *(Martha et Nick rient
nerveusement.)* Allons... essayons de trouver autre
chose... Voyons... nous venons de jouer à « Comment humilier le patron »... ça c'est terminé...
Qu'est-ce que nous jouons maintenant?

NICK

Ecoutez...

GEORGE

ECOUTEZ... *(Il traîne comme un gémissement.)*
Ecccc... couououou... teeeeez... *(Engageant.)* Allons,
allons... Des intellectuels dans notre genre, ça
connaît d'autres jeux... nous avons de la ressouree,
du vocabulaire, hein?

NICK

A mon avis, peut-être...

GEORGE

Voyons, voyons... Qu'est-ce qu'on peut trouver?
C'est pas les jeux qui manquent... *(Il réfléchit.)*
Hé! dites, qu'est-ce que vous diriez... si on jouait
à... « Comment s'envoyer la patronne »? Hein?
Qu'est-ce que vous en pensez? « Comment s'envoyer la patronne »? *(A Nick.)* Ça ne vous dit
rien? N'avez pas envie de jouer dans « Comment
s'envoyer la patronne »? Hein? Non?

NICK, un peu inquiet.

Allons, du calme, voyons...

Martha ricane doucement.

GEORGE

Ou bien vous avez envie de faire ça... plus tard...
de vous la faire derrière une porte ?

HONEY, portant des toasts à la ronde.

Allez, zou !... Envoyons-nous la patronne !

NICK, à Honey. Dur.

Toi, tu la fermes, hein...

Honey s'arrête, verre levé.

GEORGE

Vous n'avez pas envie de jouer à ça maintenant,
hein ? C'est pour plus tard. *(Un temps.)* Alors
qu'est-ce qu'on joue ?

MARTHA, calme.

Portrait d'un homme en train de se noyer.

GEORGE, posément, sans s'adresser à personne.

Je ne suis pas en train de me noyer.

HONEY, à Nick, en colère
et au bord des larmes.

Tu m'as dit de la fermer.

NICK, légèrement exaspéré.

Je suis désolé, mon petit.

HONEY, entre ses dents.

Non, tu n'es pas du tout désolé. C'est pas vrai...

NICK, dont l'exaspération croît.

Je suis vraiment désolé.

GEORGE

Il frappe dans ses mains, très fort. Une seule fois.

J'ai trouvé! Je vais vous dire ce que nous allons jouer. Nous avons joué « Comment humilier le patron »... le premier acte, en tout cas... bon, ça c'est terminé... et nous n'avons pas envie de jouer « Comment sauter la patronne »... enfin... pas encore... mais j'ai trouvé, moi... Nous allons jouer la première partie de « Comment posséder ses invités ».

MARTHA

Elle se détourne, un peu écœurée.

T'es un porc, George...

GEORGE

Et toi, tu as craché l'histoire de l'enfant... Et toi, tu as craché l'histoire du livre...

HONEY

Je n'aime pas qu'on joue à tout ça...

NICK

Ouais, ça suffit comme ça...

GEORGE

Mais pas du tout... Pas du tout... Nous n'avons joué qu'un acte... Maintenant, nous passons au deuxième... Vous n'allez pas filer après le premier acte.

NICK

Vraiment, je crois...

GEORGE, avec autorité.

SILENCE! *(On l'écoute.)* Bon. Maintenant, comment allons-nous jouer ça?

MARTHA

George, arrête maintenant...

GEORGE

Toi, fous-moi la paix. *(Martha hausse les épaules.)* Je me demande... je me demande... *(Il réfléchit. Un temps.)* Bon... Ça y est... Martha, indiscrète comme elle l'est... enfin... indiscret n'est pas le mot car Martha est d'une naïveté adorable... bref... Martha vous a tout raconté au sujet de mon premier roman. Vrai ou faux? Hein? Je veux dire, vrai ou faux que ce roman ait jamais existé? Ha!... Mais Martha vous en a parlé... Mon premier roman. Mes Mémoires... J'eusse préféré qu'elle n'en fît rien mais... bon... autant en emporte le vent. MAIS... ce que Martha a oublié... ce qu'elle a *complètement* oublié... c'est de nous parler de mon second roman. *(Martha le regarde, curieuse et interrogative.)* Dis, tu n'étais pas au courant, Martha? Mon second roman. Vrai ou faux? Faux ou vrai? Ça ne te dit rien?

MARTHA, sincère.

Non...

GEORGE

Bien... *(Il commence à parler calmement mais, peu à peu, le ton devient plus agressif et il parle plus fort.)* En vérité, c'est une sorte d'allégorie, mais ça peut se lire comme un roman-feuilleton... C'est l'histoire d'un couple jeune et charmant qui arrive du Middle West. C'est du genre bucolique, vous voyez... Donc ce couple jeune et charmant arrive du Middle West. Lui est un blond d'une trentaine d'années et c'est un savant, un professeur, un savant quoi... et sa Gretchen est du genre petite épouse dans la lune qui n'arrête pas de se siffler du cognac et...

NICK

Dites, vous permettez...

GEORGE

... ils se sont connus quand ils étaient encore tout petits, petits petits *(geste qui indique la taille d'un bébé)*, et ils passaient leur temps à se cacher sous la table de la nursery et à s'amuser à...

NICK

J'ai dit : VOUS PERMETTEZ...

GEORGE

C'est à mon tour de jouer. Vous, vous avez joué tout à l'heure... Maintenant, c'est à moi.

HONEY, rêveuse.

Je veux connaître cette histoire. J'adore les histoires !

MARTHA

George, je t'en prie...

GEORGE, comme s'il racontait un conte de fées.

Bon... Je continue. Alors, le papa de la souris était un homme très gentil et très pieux et tout le monde lui donnait beaucoup d'or et beaucoup d'argent...

HONEY réfléchit.

Je connais cette histoire... je crois.

NICK

Sa voix tremble légèrement de rage contenue. A Honey.

Sans blague...

GEORGE

... mais le papa de la souris était très vieux et alors il est mort et alors il est monté tout droit au ciel avec de grandes ailes et alors, à l'endroit d'où il s'était envolé, on a trouvé plein d'or et plein d'argent... L'or de Jésus, l'argent de Marie, les dollars de Joseph... Bourré de pognon, quoi...

HONEY, qui réfléchit rêveusement.

J'ai déjà entendu cette histoire...

NICK ferme mais doucement.
Pour la secouer un peu.

Honey...

GEORGE

Mais ça, c'est le début, c'est la première partie du livre. *(Un temps.)* Et alors voilà mon Blondinet et sa Gretchen qui rappliquent de leur pampa...

Il glousse.

MARTHA

C'est très drôle, George...

GEORGE

... Merci... et qui s'installent dans une ville... et qui ressemblerait comme une goutte d'eau à... eh bien... à Neue-Kartach...

NICK

Je crois, monsieur, que vous auriez tort de continuer...

GEORGE

Vous croyez?

NICK, moins assuré.

Oui. Vous auriez tort, je crois.

HONEY

J'adore les histoires que je connais déjà... Ce sont les meilleures.

GEORGE, à Honey.

Comme vous avez raison... *(Il reprend le fil de son histoire.)* Mais le Blondinet, en vérité, était déguisé en professeur... et sur l'étiquette de ses valises étaient gravées ces deux initiales lourdes de sens... F. H. F. H... Fatalité Historique.

NICK

Il est tout à fait inutile que vous continuiez...

HONEY, qui essaie de comprendre ce que dit
et veut dire George.

Laisse-le continuer.

GEORGE

Continuons... Et il était tout encombré de valises
dont l'une avait la forme exacte de la souris...

NICK

Vous croyez que votre histoire est drôle?

HONEY

Mais oui.

GEORGE, désignant Honey.

La mariée a parfaitement raison. Mais... ce
que personne n'arrivait à comprendre c'était
pourquoi le Blondinet avait emmené la souris dans
ses bagages... Je veux dire qu'en voyant ce type,
champion du Kansas de natation et de séduction,
on ne comprenait pas ce qu'il faisait avec cette
sauterelle... dont il s'occupait d'une manière
INCROYABLE... d'autant que cette fille était complètement stupide et sans intérêt...

NICK

Vous êtes abject!

GEORGE

Abject? Moi? *(Il reprend son récit.)* Donc, comme
je le disais, cette souris en forme de valise passait la

moitié de son temps à pomper le cognac comme une éponge et l'autre moitié à le dégorger dans les lavabos...

HONEY, qui commence à « brûler ».

Je... connais... ces gens-là...

GEORGE

Ah oui ?... mais, entre tous les paquets du Blondinet, la souris-valise représentait le paquet d'or... L'or divin que le papa était allé piller jusque dans la bouche des infidèles en démontant leurs râteliers... Et le Blondinet, du coup, supportait sa Gretchen! Evidemment!

HONEY, qui commence à avoir peur.

Je n'aime pas cette histoire...

NICK, suppliant de manière inattendue.

Je vous en prie... je vous en prie...

GEORGE, imitant un chien dressé
sur ses pattes arrière pour avoir un sucre.

Fais le beau, petit...

MARTHA

George...

GEORGE

... alors... ah! mais là nous allons faire un retour en arrière et raconter l'épisode intitulé : « Comment ils se sont mariés. »

NICK

Non!

GEORGE, triomphant.

Si!

NICK, terrorisé et suppliant.

Pourquoi?

GEORGE

Comment ils se sont mariés? Eh bien! ça c'est passé comme ça... Un beau matin, la souris s'aperçut qu'elle était toute gonflée; alors elle trottina chez le Blondinet, lui colla son ventre sous le nez et lui déclara... « Regardez ce qui m'arrive... »

HONEY, pâle. Debout.

Non... je n'aime pas... cette...

NICK, à George.

Arrêtez...

GEORGE, tout à son récit et qui mime les sentiments de ses « héros ».

« Regardez : je suis toute gonflée. » « Oh!... mon Dieu... » s'écria le Blondinet...

HONEY, voix rêveuse de cauchemar.

... et c'est comme ça qu'ils se sont mariés...

GEORGE

Et c'est comme ça qu'ils se marièrent.

HONEY

... et après...

GEORGE

... et après...

HONEY, hystérique.

Quoi?... et après, quoi?

NICK

Non, non...

GEORGE, comme s'il racontait l'histoire
à un petit enfant.

... et après — pchchchchch... — elle se dégonfla...
comme par enchantement... pchchchchch...

NICK, malade de dépit et de honte.

Bon Dieu de bon Dieu de...

HONEY

... le ballon s'est dégonflé...

GEORGE, doucement.

Pchchchchch...

NICK

Honey... je te jure que je ne voulais pas... je ne
voulais pas... Je te le jure!

HONEY

Tu... leur as raconté... Nick?

NICK

Honey, je ne voulais pas...

HONEY, complètement hystérique.

Tu... leur as raconté. Tu leur as dis! Oooooh!...
Oh! non, non, non, non!... Ce n'est pas vrai!...
Oh! noooooon... Non... Non... Noooooooon!

NICK

Mais, Honey, je ne voulais pas...

GEORGE, dur et avec dégoût.

Et voilà. Nous venons de jouer « Comment
posséder les invités ».

HONEY

Je crois que je vais... que je suis... malade.

GEORGE

Pardi!

NICK

Honey...

HONEY, hystérique.

Laisse-moi! Ne me touche pas! J'ai mal... au
cœur...

Elle sort en courant.

MARTHA

Elle regarde sortir Honey en hochant la
tête.

Bon Dieu... Voilà...

GEORGE

Il hausse les épaules.

O Fatalité de l'Histoire !

NICK, tremblant de rage et de honte mais « sonné ».

Vous n'auriez pas dû faire ça... Vous n'auriez jamais dû faire ça !

GEORGE, calme.

Je déteste l'hypocrisie, moi.

NICK

Vous n'êtes que... cruel... et sadique...

GEORGE

Elle s'en tirera... n'ayez pas peur...

NICK

... et vous avez brisé...

GEORGE

... elle s'en remettra, je vous dis...

NICK, criant.

Et vous avez brisé... ma vie, ma carrière ! A moi !

GEORGE, étonné.

Votre... ?

NICK

MA CARRIÈRE !

GEORGE

VOTRE ?

NICK

Oui!

GEORGE, aux anges.

Oh! ça c'est merveilleux... merveilleux! Alors ça, vous *êtes un vrai porc* pour trouver des truffes pareilles. *(Très calme.)* Que voulez-vous, mon garçon, il va falloir que vous changiez de tactique... Baissez-vous, ramassez les morceaux et essayez de recoller tout ça... Vous retomberez sur vos pieds, je suis tranquille.

MARTHA, calme. A Nick.

Allez voir ce que fait votre femme.

GEORGE

C'est ça... Allez ramasser les morceaux et pensez à une nouvelle tactique.

NICK, à George, en sortant.

Vous le regretterez.

GEORGE

Sans doute. Je regrette toujours tout.

NICK

Je vous ferai payer ça très cher.

GEORGE, doucement.

Mais oui... *(Comme s'il récitait le titre d'un chapitre de son histoire.)* Embarras soudain du petit Blondinet.

NICK

Je sais jouer à ça, moi aussi... Moi aussi je sais raconter des histoires... et je les raconte *comme vous*... et moi aussi je saurai être un salaud.

GEORGE

Vous *êtes* un salaud... Mais vous ne le saviez pas.

NICK, se dominant.

Non... non... Pas vraiment. Mais je le serai, monsieur... et vous regretterez d'avoir provoqué ce que je vais...

GEORGE, l'interrompant et désignant la porte.

Allez nettoyer les saletés... allez...

NICK, calme. Dur.

Faites-moi confiance, monsieur.

> Il sort. Un temps. George sourit à Martha.

MARTHA, morne.

C'était très bien, George.

GEORGE

Merci, Martha.

MARTHA

Vraiment très bien.

GEORGE

Je suis content que ça t'ait plu.

MARTHA

Oui... C'était du bon travail... Cette fois, tu t'es appliqué. Jusqu'au bout.

GEORGE

Heu... heu...

MARTHA

Il y a très longtemps que tu ne t'étais pas montré aussi brillant...

GEORGE

C'est grâce à toi... quand tu es là, chérie, je me surpasse.

MARTHA

Ouais... dans la chasse aux pygmées.

GEORGE

Pygmées...

MARTHA

Tu es vraiment une merde...

GEORGE

Moi ? Moi ?

MARTHA

Ouais... Toi !

GEORGE

Alors là, chérie, si le champion de rugby est un pygmée, alors là, vraiment, je me demande

ce qui t'arrive. Qu'est-ce qu'il te faut maintenant... des géants?

MARTHA

Tu me rends... MALADE!

GEORGE

Mais toi, tu ne rends personne malade, hein?
Mais toi, tout ce que tu fais est parfait, hein?
Madame se déchaîne comme une hyène; Madame
frappe, coupe, taille, casse, brise, brûle, fait sauter la moitié du monde... et c'est bien! Mais
que quelqu'un essaie de faire la même chose...
Ah non! monsieur!

MARTHA

Tu n'es qu'un pauvre...

GEORGE, découragement feint.

Et quand je pense que j'ai fait tout ça pour
toi! Et moi qui croyais que tu aimerais ça, mon
chéri... Que ce sang, ce massacre... que tout ça
te plairait... *(Changement de ton, très sadique.)* Je
croyais que ça t'exciterait... hein? que ça te
brûlerait... que ça te foutrait en rut et que tu te
jetterais sur moi... en ballottant des mamelles.

MARTHA

Tu es *vraiment* complètement *tordu*, George.

GEORGE, dur.

Ça va, Martha! Ferme-la, tu veux!

MARTHA

Tu dépasses les bornes...

GEORGE s'efforce de contenir sa rage.

Toi, tu peux rester là, assise dans ton fauteuil; toi, tu peux rester là, assise, à cuver et à baver l'alcool; toi, tu peux m'humilier, toi, tu peux me piétiner... TOUTE LA NUIT... et ça, c'est normal... ça, c'est tout à fait normal.

MARTHA

TU SUPPORTES ÇA TRÈS BIEN!

GEORGE

NON, JE NE LE SUPPORTE PAS!

MARTHA

TU LE SUPPORTES TRÈS BIEN! C'EST POUR ÇA QUE TU M'AS ÉPOUSÉE.

Un temps.

GEORGE, calme.

C'est un mensonge insensé, c'est un mensonge... *fou!*

MARTHA

TU NE T'EN ÉTAIS PAS RENDU COMPTE? PAS ENCORE?

GEORGE secoue la tête.

Oh!... Martha!...

MARTHA

J'en ai marre... de te fouetter. *(Un temps.)* Ça me fatigue.

GEORGE

Il la regarde avec une étrange curiosité.

Tu es *folle*.

MARTHA

Depuis vingt-trois ans.

GEORGE

Tu te trompes... Martha, tu te trompes.

MARTHA

Et ce n'est pas cette vie-là que je souhaitais !

GEORGE

Et moi je croyais que tu étais au moins... consciente de tout... Je ne voulais pas... Non, je ne savais pas...

MARTHA, dont la colère renaît.

Je suis parfaitement consciente.

GEORGE, comme si elle était un animal répugnant.

Non... Non... tu es... malade.

MARTHA

Elle se lève et crie.

Tu veux que je te montre *qui* est malade ?

GEORGE

Assez, Martha... tu vas trop loin.

MARTHA crie.

Je te montrerai qui est malade ! Tu verras qui...

GEORGE, la secouant.

Arrête! *(Il la pousse dans un fauteuil.)* Maintenant, arrête!

MARTHA, plus calme.

Tu verras qui est malade. *(Plus calme.)* Dis, c'est ton grand jour, hein, aujourd'hui? *(Un temps.)* Bon... il va falloir en finir une fois pour toutes avec toi... bon... je vais te liquider...

GEORGE

... Toi et le champion? Vous allez vous y mettre tous les deux?

MARTHA

... et avant de te crever, je te ferai regretter de n'être pas mort dans ton accident d'auto, ordure!

GEORGE, index levé et emphatique.

Et toi, tu t'apercevras qu'il aurait mieux valu que tu ne parles *jamais* de notre fils!

MARTHA, écœurée.

Pauvre merde!...

GEORGE

Je t'aurai prévenue.

MARTHA, méprisante.

C'est ça! Tu m'impressionnes!

GEORGE

Je t'aurai prévenue de ne pas aller trop loin.

MARTHA

Ah oui? Ben, figure-toi que ça n'est que le début...

GEORGE, calme, très à l'aise.

Je suis devenu suffisamment abruti... ce n'est pas à cause de l'alcool, bien que ça ait peut-être contribué à ça... — à ce lent processus d'altération de mes cellules cérébrales... — je suis assez abruti maintenant pour te supporter quand nous sommes seuls. Je ne t'écoute plus... ou alors, quand je t'écoute, je m'amuse à faire un tri... et je te réponds comme ça, mécaniquement, en me foutant éperdument de tout ce que tu dis... Alors, tu comprends, je ne *t'entends* pas, en réalité, et c'est comme ça que je m'en tire. Mais tu as adopté une nouvelle tactique, Martha, depuis deux ou trois siècles — depuis que je vis avec toi, ici, dans cette maison — mais tu y es allée trop fort... beaucoup trop fort. De ta manière de déballer notre linge sale sous les yeux du public, je m'en fous... enfin je ne m'en fous pas mais je m'y suis fait... En réalité, ce qui est plus grave c'est que tu t'es maintenant enfermée dans un monde de folie absolue et que tu commences à tourner en rond en exécutant des variations sur tes propres délires... Alors, du coup, le résultat c'est...

MARTHA, coupant cette belle période.

De la merde!

GEORGE

Eh oui! C'est ça!

MARTHA

Merde!

GEORGE

C'est ça... continue, continue et à la fin...

MARTHA

Dis, George, est-ce que tu t'entends parler, des fois? Est-ce que tu as une idée de ta manière de parler? C'est tordu... vaseux... emberlificoté... Ça te ressemble. Tu parles exactement comme tu écrivais tes conneries d'articles.

GEORGE, plein d'une fausse sollicitude.

En fait, tu m'inquiètes... Je suis inquiet. Pour ta raison.

MARTHA

Te fais pas de souci pour ma raison, chéri.

GEORGE, tout naturellement.

Je crois que je vais te faire enfermer.

MARTHA

Tu vas QUOI?

GEORGE, calme. Précis.

Je crois que je vais te faire enfermer.

MARTHA éclate d'un rire interminable.

Ha ha ha! Ah ça!... ça c'est trop beau... ça c'est quelque chose!

GEORGE

Tu comprends, il faut que je trouve un moyen de te mettre définitivement hors circuit!

MARTHA

Ne cherche pas, George... C'est pas la peine... En vingt-trois ans, tu as réussi... C'est fait.

GEORGE

C'est vrai? On pourra t'emmener sans que tu te débattes?

MARTHA, lasse.

Tu sais ce qui s'est passé, George? Tu veux savoir ce qui s'est vraiment passé? *(Elle fait claquer ses doigts.)* Finalement ça a craqué... Pas moi... Mais *tout*. Toute notre histoire, toute notre affaire s'est écroulée. On peut toujours continuer, bien sûr, éternellement... Tout est supportable... On s'invente des excuses... des vraies?... c'est la vie... c'est de la merde... peut-être qu'il crèvera demain... des tas d'excuses. Mais voilà, un jour, une nuit... quelque chose se passe... et CRAC! Ça casse. Alors, c'est fini... on s'en fout... de tout! *(Un temps.)* J'ai essayé avec toi, mon coco, oui je te jure... J'ai essayé...

GEORGE

Allez, Martha... ne te fatigue pas...

MARTHA

J'ai essayé... Je te jure que j'ai tout essayé...

GEORGE, un peu ébahi.

Tu es un monstre... un *vrai* monstre.

MARTHA, lasse.

Je gueule. Et je suis vulgaire. Et je porte les pantalons dans cette baraque parce qu'il faut bien... mais je ne suis pas un monstre... non, non...

GEORGE

Tu es une enfant gâtée, égoïste, méchante, vicieuse, ivrogne...

MARTHA

CRAC! Ça a fait CRAC! Ecoute, je n'essaierai plus jamais de te parler vraiment, de te comprendre, d'échanger quelque chose avec toi... Je n'essaierai plus. Peut-être y a-t-il eu une seconde... là, cette nuit... peut-être y a-t-il eu une seconde, à peine une seconde... où j'ai cru que c'était possible... où j'ai cru que nous arriverions à faire sauter cette croûte de boue. Mais c'est fini... fini... *(Un léger temps)* et maintenant je n'essaierai plus jamais. Jamais...

GEORGE

Allons, allons, Martha... J'ai l'habitude, tu sais... Une fois par mois à peu près, nous avons droit à Martha l'Incomprise, à la fille au bon petit cœur qui bat sous la cuirasse, à la petite demoiselle qui ne demande qu'à ronronner de tendresse. Et dire que j'y ai cru! Combien de fois? Je préfère ne pas m'en souvenir... parce

que ça n'est pas tellement gai de s'apercevoir
qu'on a été roulé à chaque fois... Non, Martha,
c'est moi qui ne te crois pas... C'est moi qui ne
te crois plus. Nous n'arriverons pas... nous n'arriverons plus jamais à être... *ensemble.*

MARTHA, de nouveau regonflée.

Oui, peut-être tu as raison, mon coco. C'est
vrai qu'on ne peut pas être *ensemble* avec RIEN...
et voilà, tu n'es rien! Ça a craqué cette nuit,
quand nous étions chez papa. *(Avec mépris mais
avec une sourde colère et comme une sorte de tristesse
morne.)* J'étais assise chez papa et je te regardais...
Je te voyais, assis dans ton coin, et je regardais tous
ces hommes jeunes autour de toi... ces hommes qui
existaient, qui fonçaient vers quelque chose. Et
moi, assise, je te regardais et tu n'étais pas *là.*
Toi, tu n'existais pas! Alors, ça a craqué! Finalement, ça a craqué! et je vais le crier sur les toits
et je me fous de ce qu'on dira et je vais provoquer
le plus formidable bordel que tu aies jamais vu!

GEORGE ne bronche pas.

Essaie. Je te parie que je te bats sur ton propre
terrain.

MARTHA

C'est un défi, George?

GEORGE

C'en est un, Martha.

MARTHA, comme si elle lui crachait au visage.

Tu l'auras en pleine gueule, petit.

GEORGE, doucereux.

Attention, Martha... Je te casserai en morceaux.

MARTHA

Il faudrait que tu sois un homme... mais tu n'en es pas un!...

GEORGE

La guerre totale?

MARTHA

Totale.

Un temps. Ils semblent soulagés, détendus.
Nick entre.

NICK, se frottant les mains.

Et voilà! Elle... se repose.

GEORGE, amusé par le calme
et l'allure dégagée de Nick.

Ah oui!

MARTHA

Ouais? Elle va mieux?

NICK

Oui, je crois... Excusez-moi : je suis vraiment désolé...

MARTHA

C'est rien... c'est rien...

GEORGE

On a l'habitude, ici.

NICK

Je crois que ça va aller...

MARTHA

Elle est couchée? Vous l'avez mise au lit, là-haut?

NICK, se versant un verre.

Heu... non. Vous permettez? Elle est... dans la salle de bains... Elle est couchée par terre dans la salle de bains.

GEORGE, avec un air de réflexion.

C'est que... ce n'est pas très gentil à vous de...

NICK

Elle aime ça. Elle dit que c'est... plus frais.

GEORGE

Oui mais tout de même...

MARTHA

Elle l'interrompt avec autorité et violence.

Si elle aime se coucher sur le carrelage de la salle de bains, ça la regarde! *(Sérieusement. A Nick.)* Elle serait peut-être mieux installée dans la baignoire, non?

NICK, lui aussi avec le plus profond sérieux.

Non, elle dit qu'elle est très bien par terre... elle a enlevé le tapis et elle est couchée sur le carrelage. Elle adore ça se coucher par terre... elle adore ça...

MARTHA, un temps.

Ah!...

NICK

Quand elle a toutes ses migraines, ses machins...
elle se couche toujours par terre. *(A George.)*
Vous avez de... la glace?

GEORGE

Pardon?

NICK

De la glace. Vous avez de la glace?

GEORGE, comme s'il entendait ce mot
pour la première fois.

De la *glace?*

NICK

De la glace. Oui.

MARTHA

De la glace.

GEORGE, comme s'il comprenait brusquement.

Ah! De la glace!

MARTHA

Enfin!

GEORGE, sans bouger.

Mais oui!... Je vais en chercher.

MARTHA

Vas-y! Qu'est-ce que tu attends? *(Coquette...
à Nick?)* D'ailleurs, nous aimerions que tu nous
laisses un peu seuls...

GEORGE va pour prendre le seau à glace.

Ça ne m'étonne pas, Martha... Ça ne m'étonne
pas.

MARTHA, comme s'il l'insultait.

Ah oui? Vraiment?

GEORGE

Absolument pas, Martha.

MARTHA, avec violence.

NON?

GEORGE, id.

NON! *(Calme.)* Tu essaies n'importe quoi, hein,
Martha? *(Il prend le seau à glace.)*

NICK, pour détourner l'orage.

Elle a... une santé vraiment... très fragile... et...

GEORGE

... des hanches très étroites.

NICK, se souvenant.

Oui, exactement.

GEORGE, comme il va sortir... sec.

Et c'est pour ça que vous n'avez pas d'enfants?

Il sort.

NICK, à George qui est déjà sorti.

Heu... Je ne sais pas si c'est... *(il traîne sur les mots avec une sorte d'hésitation)*... si ça a quelque chose à voir avec... ça.

MARTHA

Et même alors, quelle importance? Pas vrai?

NICK

Pardon?

Martha lui envoie un baiser sonore.

NICK, encore touché par la remarque de George.

Je... Comment?... Excusez-moi...

MARTHA

Je disais...

Elle lui envoie un autre baiser.

NICK, mal à l'aise.

Ah!... Oui.

MARTHA

Hé!... donne-moi une cigarette... beauté! *(Nick fouille dans sa poche.)* T'es un brave petit! *(Il lui tend une cigarette.)* ... Merci...

Il lui allume la cigarette. Elle lui pose une main sur les genoux, remonte, glisse la main entre les cuisses, caresse.

Hmmmmmmm!...

Nick hésite mais ne bouge pas. Elle sourit. Elle caresse doucement.

Et maintenant, puisque tu as été bien sage, tu peux me faire une bise. *(Il hésite.)* Allez! Vas-y!

NICK, nerveux.

Ecoutez... Je crois que nous ferions mieux...

MARTHA

Allez, chéri! Une toute petite bise, s'il te plaît!

NICK, toujours hésitant.

Je...

MARTHA

Ça te fera pas de mal, tu sais, mon petit bébé.

NICK

Pas si petit que ça, vous savez.

MARTHA, allusion au sexe de Nick
qu'en fait elle caresse.

Je sais, je sais... Viens!...

NICK, qui « faiblit ».

Ecoutez... il peut revenir... et alors?

MARTHA, qui continue de lui caresser la cuisse.

George? T'en fais pas pour lui. Et puis... si tu m'embrasses bien... amicalement... où est le mal? C'est courant, ici, à l'université... Ça se fait.

Ils rient doucement. Mais Nick reste nerveux.

Nous sommes une famille très très unie, ici... C'est ce que papa dit tout le temps... Papa veut

que tout le monde se connaisse et se fréquente...
C'est l'occasion d'échanger des idées, de discuter
de problèmes... Allez, viens! On va échanger des
idées, tous les deux.

NICK

Vous savez... ce n'est pas que... je ne veuille
pas...

MARTHA

Tu es un savant, oui ou non? Allez... viens
faire une expérience... une petite expérience sur
la vieille Martha.

NICK, qui cède.

... pas si vieille que ça...

MARTHA

D'accord, elle n'est pas si vieille, mais elle a
beaucoup d'expérience... beaucoup...

NICK

Je... J'en suis sûr.

MARTHA, comme ils se rapprochent lentement l'un
de l'autre.

Et ça te changera, hein?

NICK

Heu... Oui.

MARTHA

Et tu verras comme ta petite femme te remer-
ciera.

NICK, plus près... presque dans un souffle.

Oh! vous savez... elle ne s'en rendra même pas compte... Elle est...

MARTHA

Oui, comme George...

> Ils sont l'un contre l'autre. Ce qui aurait pu rester un jeu se transforme brusquement en quelque chose de « sérieux ». Martha s'y efforce. La scène n'est pas *frénétique*. Les deux se sont rapprochés lentement, et c'est lentement qu'ils vont s'étreindre.

> George entre... s'arrête... attend... sourit... a un rire silencieux... hoche la tête, se retourne, sort sans que les autres l'aient vu.

> Nick, qui caressait déjà la poitrine de Martha, glisse la main à l'intérieur du corsage.

MARTHA, modérant l'ardeur de Nick.

Hé là!... Hé là!... Doucement, petit... Ne t'énerve pas, mon minet... Attends, attends...

NICK, les yeux mi-clos.

Non, viens, maintenant!...

MARTHA, le repoussant lentement.

Allons... Plus tard, petit, plus tard...

NICK

Je suis biologiste... vous savez...

MARTHA, douce.

Je sais... Je sais tout, moi... Plus tard, hein?

> On entend George — off — qui chante :
> « Qui a peur de Virginia Woolf... » Mar-
> tha et Nick s'écartent l'un de l'autre;
> Nick s'essuie la bouche; Martha met de
> l'ordre dans ses vêtements. George —
> comme s'il leur en avait laissé le temps —
> entre avec le seau à glace.

GEORGE

Virginia Woolf,
Virginia Woolf...

NICK

Ah! De la glace!

GEORGE, avec un enthousiasme terriblement faux.

Voilà! *(A Martha, trop tendre.)* Bonjour, ma douce colombe... Tu as l'air... radieuse!

MARTHA, ton neutre.

Merci.

GEORGE, très enjoué.

Bon! Tout va bien... Je vais vous bailler de la glace...

MARTHA

Donner de la glace!

GEORGE

Bailler, Martha. C'est tout à fait correct... C'est seulement un tout petit peu archaïque... comme toi.

MARTHA, méfiante.

Pourquoi es-tu si content?

GEORGE, comme s'il n'entendait pas.

Bon! Très bien! Je vais vous bailler de la glace.
Et quelqu'un veut-il aussi un verre? Martha, un
verre?

MARTHA, par défi.

Ouais... Pourquoi pas?

GEORGE prend le verre de Martha.

Mais oui... pourquoi pas? *(Il regarde le verre
et, sur un ton de réprimande.)* Martha? Tu as encore
croqué un morceau de verre.

MARTHA

Non!

GEORGE, à Nick qui est au bar.

Je vois que vous vous servez vous-même...
C'est très bien, très bien... Il ne reste plus qu'à
bien remplir Martha d'alcool et nous serons
prêts.

MARTHA, méfiante.

Prêts à quoi?

GEORGE

Un temps. Il réfléchit.

Heu... Je ne sais pas. Nous donnons une soirée,
oui ou non? *(A Nick qui a quitté le bar.)* J'ai rencontré votre femme dans l'entrée... Enfin... je

suis passé devant la salle de bains et j'ai jeté un coup d'œil. Elle est tranquille... tout à fait tranquille. Elle dort comme un Jésus... et figurez-vous... qu'elle suce son pouce.

MARTHA

Heineinein!...

GEORGE, geste.

Toute recroquevillée comme un fœtus... et elle n'arrête pas de sucer.

NICK, assez mal à l'aise.

Elle doit aller mieux...

GEORGE, ton d'évidence.

Mais bien sûr! *(Il tend un verre à Martha.)* Tiens.

MARTHA, sur ses gardes.

Merci.

GEORGE, il se verse à boire.

Et maintenant, à mon tour. Je vais m'achever.

MARTHA

Tu n'achèves jamais rien.

GEORGE

Mais si, mais si! Je fais des progrès... J'avance.

MARTHA

Vers la tombe!

GEORGE glousse et prend son verre.

Bon... maintenant, réfléchis, Martha, mais
n'oublie pas que je suis en progrès... Bon... Je
vais aller m'asseoir bien gentiment... si vous
voulez bien m'excuser... Je vais aller m'asseoir
dans un coin et me plonger dans la lecture.

> Il s'assied dans un fauteuil près de la porte
> d'entrée en tournant le dos à Martha
> et à Nick.

MARTHA

Hein? Qu'est-ce que tu vas faire?

GEORGE, calme. Haut.

Je vais lire. Lire un livre! Je vais lire! Tu as
compris?

> Il brandit un livre.

MARTHA, debout.

Hein? Qu'est-ce qu'il y a? Qu'est-ce qu'il y a,
George?

GEORGE, trop calme.

Mais il n'y a rien, Martha, rien du tout. Je
vais lire un peu... et c'est tout...

MARTHA, bizarrement furieuse.

Nous avons des invités!

GEORGE, trop patient.

Je sais, chérie... *(Il regarde sa montre.)*... Mais
il est plus de quatre heures et je lis toujours à
cette heure-là. Maintenant... *(Il a un geste désin-*

volte comme s'il écartait Martha.) veux-tu... occupe-
toi de tes affaires et laisse-moi lire tranquille-
ment, hein ?

MARTHA

Tu lis dans l'après-midi. C'est à cinq heures
de l'après-midi que tu lis... Tu ne lis *jamais* à
quatre heures du matin ! *Personne* ne lit à quatre
heures du matin !

GEORGE, qui feint de se plonger dans sa lecture.

Allons, allons... n'exagérons rien...

MARTHA, déconcertée. A Nick.

Il va lire... Ce salaud veut se taper un livre !

NICK, souriant.

Ben oui... On dirait.

Il va vers Martha, l'enlace. George, de dos,
ne voit pas.

MARTHA, qui a une idée.

Eh bien !... on peut quand même s'amuser,
nous deux, pas vrai ?

NICK

Et... pourquoi pas ?

MARTHA

Nous, nous allons nous amuser, George !

GEORGE, sans lever les yeux.

Heu... C'est très bien, c'est très bien...

MARTHA

Et si tu n'aimes pas ça ?

GEORGE, toujours sans lever les yeux.

Mais si, mais si... continue... occupe-toi de nos invités... Amuse-les.

MARTHA

Oui je vais m'amuser... *aussi*, George.

GEORGE

Parfait... Parfait !

MARTHA

Ha... ha !... Tu es très marrant, George.

GEORGE

C'est ça... c'est ça...

MARTHA

Moi aussi, George, je suis très marrante...

GEORGE

Bien sûr, Martha, bien sûr...

> Nick prend Martha par la main, l'attire à lui. Il la regarde. Ils s'embrassent longuement.

MARTHA

Tu sais ce que je fais, George ?

GEORGE

Non... Qu'est-ce que tu fais, Martha ?

MARTHA

Je m'amuse... et je m'occupe d'un de nos invités. Je suis pendue au cou d'un de nos invités.

GEORGE, calme. Sans regarder.
Feignant toujours d'être plongé dans sa lecture.

Bravo, bravo... Au cou de quel invité?

MARTHA, avec rage.

George! Tu te crois drôle.

> Elle laisse là Nick et va vers George. Elle
> titube légèrement et, s'appuyant au mur,
> frôle les orgues qui pendent du carillon
> mural et qui tintent.

GEORGE

On sonne, Martha.

MARTHA

T'occupe! Je te dis que j'étais pendue au cou
de notre invité.

GEORGE

Très bien... très bien... Continue...

MARTHA, un temps... désemparée.

Très bien?

GEORGE

Mais oui... c'est bien... tu as raison.

MARTHA, les yeux mi-clos de fureur, la voix dure.

Ouais... je comprends, je sais où tu en es et
où tu veux en venir, ignoble petit...

GEORGE

J'en suis à la page cent trente...

MARTHA

Ta gueule! Ta gueule, je te dis! *(Elle heurte à nouveau les orgues qui tintent.)* Merde!

GEORGE

C'est le carillon, Martha! Et si tu allais de nouveau te pendre au lieu de me déranger? J'ai très envie de lire, tu sais.

MARTHA

Tu vas voir... ordure...

GEORGE, il se tourne, lui fait face.
Et dit avec un profond dégoût.

Allons... vas-y, Martha... Peut-être il n'a jamais vu ça. *(A Nick.)* Vous n'avez encore jamais vu ça, hein?

NICK se tourne. Ecœuré.

Je vous en prie... Je vous méprise...

GEORGE

Et vous vous estimez, n'est-ce pas... *(Il désigne Martha.)* La question est de savoir ce que la jeune génération a dans le ventre.

NICK

Et vous... vous n'y avez...

GEORGE

Rien? Exact, exact! Absolument rien! Ecoutez *(il désigne Martha)*, ramassez ce tas de linge sale, jetez-le sur vos épaules et...

NICK

Vous êtes ignoble!...

GEORGE, étonné.

Parce que *vous*, vous allez sauter Martha... c'est *moi* qui suis ignoble?

Il éclate de rire.

MARTHA, à George.

Pauvre salaud! *(A Nick.)* File, toi, va m'attendre! Va m'attendre dans la cuisine! *(Nick ne bouge pas. Martha va vers lui, l'enlace.)* Va, petit, je te le demande. Attends-moi dans la cuisine... sois mignon.

Elle donne un baiser à Nick qui jette un coup d'œil à George. Celui-ci leur tourne déjà le dos. Nick sort. Martha se tourne vers George.

Maintenant, toi, écoute-moi...

GEORGE

Je préférerais lire, Martha, si ça ne te dérange pas...

MARTHA, furieuse mais au bord des larmes.

Si, ça me dérange! Maintenant, écoute-moi bien. Ou tu arrêtes, ou je te jure que je le ferai... Je te

jure sur ma tête que je vais chercher ce type
dans la cuisine et que je l'emmène dans ma
chambre et...

GEORGE, il se tourne vers elle. Haut.
Crachant les mots.

Et alors quoi, Martha?

MARTHA, elle le regarde un instant.
Ensuite, tout en hochant la tête
et en reculant doucement.

Bon... d'accord... d'accord... C'est ce que tu
veux... D'accord... Tu l'auras...

GEORGE, doucement. Morne.

Voyons, Martha, si tu as envie de coucher avec
ce garçon... vas-y... mais vas-y carrément, franchement... Je t'en prie... au lieu de couper les
cheveux en quatre.

MARTHA, morne.

Je te jure que tu regretteras le jour où tu m'as
demandé d'être ta femme. *(Elle se détourne.)* Tu
regretteras d'avoir mis les pieds ici... Tu regretteras d'être devenu un lâche...

Elle sort.

Un temps. George reste assis, le regard
perdu. On dirait qu'il écoute. Mais c'est
le silence complet. Il reprend sa lecture,
calme, lit un instant, puis lève la tête.
Il réfléchit.

GEORGE

« Et l'Occident, gêné dans ses mouvements du
fait d'alliances paralysantes, écrasé sous le poids

8

d'une morale trop formelle pour épouser le rythme des événements, est condamné à s'effondrer. »

> Il rit. Un rire bref, sinistre. Il se lève. Il a son livre à la main. Il reste immobile. D'un coup, il explose. Il tremble, il re-garde le livre qu'il tient dans la main et balance contre le carillon, de toutes ses forces, en poussant une sorte de cri rauque. Le carillon tinte très fort. Un temps. Honey entre.

HONEY, débraillée, à moitié endormie,
encore abrutie, titubant légèrement...
comme dans un rêve somnambulique.

Les cloches... Ça sonne... J'ai entendu des cloches.

GEORGE

Ça y est! C'est le bouquet!

HONEY

Je ne pouvais pas dormir... à cause des cloches. Ding, dong, ding, dong... Ça m'a réveillée. Quelle heure est-il?

GEORGE, calme *mais* furieux.

Fichez-moi la paix.

HONEY, égarée et frissonnante.

Je dormais et les cloches ont commencé à sonner... Boum! Comme des glas! Boum! Bim! Boum! Bim!

GEORGE

Boum!

HONEY

Je dormais et j'étais en train de rêver à...
quelque chose... et dans mon rêve j'ai entendu ce
bruit qui commençait... et je ne savais pas ce
que c'était...

GEORGE, comme s'il ne parlait à personne.

C'était le bruit des corps...

HONEY

Et je ne voulais pas me réveiller mais le bruit
augmentait, augmentait...

GEORGE

Retournez dormir...

HONEY

Alors... j'ai EU PEUR!

GEORGE, à Martha,
comme si celle-ci était dans la pièce.

J'aurai ta peau, Martha, je te le jure!

HONEY

Et il faisait très... froid! Le vent était... glacé.
Et moi j'étais couchée je ne sais pas où et les cou-
vertures glissaient tout le temps et je ne pouvais
pas...

GEORGE

Je ne sais pas comment mais je te posséderai,
Martha.

HONEY

... et le bruit de ces cloches... et il y avait quelqu'un, là...

GEORGE

Non, il n'y avait personne.

HONEY frissonne.

Et moi je ne voulais pas qu'il y ait quelqu'un...
J'étais... nue!

GEORGE

Vous n'êtes pas du tout au courant, hein?

HONEY, toujours à son rêve.

JE NE VEUX PAS! NON!

GEORGE

Vous n'êtes pas du tout au courant de ce qui
s'est passé dans le coin pendant que vous faisiez
votre petit dodo, hein?

HONEY

Non! JE N'EN VEUX PAS... JE NE VEUX PAS!
PARTEZ!... *(Elle se met à pleurer.)* JE NE VEUX PAS...
D'ENFANTS!... Je ne veux pas d'enfants... J'ai peur...
Je ne veux pas qu'on me fasse mal... JE VOUS EN
PRIE...

GEORGE, il hoche la tête. Doucement.

J'aurais dû m'en douter...

HONEY, soudain « réveillée ».

Comment? Qu'est-ce que vous dites?

GEORGE

J'aurais dû comprendre... toute cette histoire... les migraines... les larmes...

HONEY, terrifiée.

Qu'est-ce que vous dites ?

GEORGE, dur.

Et *lui*, il le sait ? L'étalon que vous avez épousé, il sait toutes ces choses ?

HONEY

Quelles choses ? N'approchez pas !

GEORGE

N'ayez pas peur, fillette... Je ne ferai rien... Ah !... ce serait une excellente plaisanterie, vous savez... mais n'ayez pas peur... fillette. Hé ! Comment vous vous débrouillez ? Hein ? Comment tu les commets tes petits assassinats secrets pour que l'étalon n'en sache rien ? Des pilules ? Des PILULES ? Tu as un stock caché de pilules ? Ou quoi, dis ? Avec de la gelée de pommes ? GRACE AU MIRACULEUX POUVOIR DE LA VOLONTÉ ?

HONEY, faible.

Je suis malade.

GEORGE

Vous allez encore dégueuler ? Vous coucher encore une fois sur le carrelage, les genoux au menton et le pouce enfoncé dans la bouche ?...

HONEY, affolée.

Où est-il?

GEORGE

Où est... *qui?* Il n'y a personne, ici, fillette.

HONEY

Je veux voir mon mari! Je veux boire!

GEORGE

Facile! Vous rampez vers le bar et vous vous servez.

> Off, on entend le rire de Martha et un bruit de vaisselle brisée.

Hurlant.

Très bien! Vas-y!

HONEY

Je voudrais... quelque chose...

GEORGE

Vous savez ce qui se passe là-bas, mademoiselle? Hein? Vous entendez? Vous savez ce qui se passe?

HONEY

Je ne veux rien savoir...

GEORGE

Là-bas, ils sont là-bas... *(Rire de Martha.)* dans la cuisine... Au milieu des pelures d'oignon et du marc de café... Voilà l'avenir! Ça se passera comme ça... Voilà l'annonce des mœurs nouvelles!

HONEY

Je... Je ne comprends pas ce que vous dites...

GEORGE, qui s'exalte de manière abjecte.

Très simple! Quand on ne peut pas supporter
que les choses soient ce qu'elles sont... quand on
ne peut pas supporter le présent... ou bien on...
ou bien on... choisit le passé, comme moi, c'est le
passé... hein?... qu'on contemple... ou bien...
on s'arrange pour changer l'avenir... hein?...
Et quand on veut changer quelque chose à quelque
chose, il faut... *(geste de tirer au revolver)*... BANG!
BANG! BANG! BANG!

HONEY

Arrêtez!

GEORGE

Et toi, petite conne... *(Il a un petit rire bref
comme s'il imitait Honey.)* hi hi hi hi hi!... tu ne
veux pas... d'enfants?

HONEY

Laissez-moi... laissez-moi tranquille! Qui... QUI
A SONNÉ?

GEORGE

Hein?

HONEY

Les cloches! Qui a sonné?

GEORGE

Tu ne veux pas savoir, hein? Tu ne veux pas
en entendre parler, hein?

HONEY, frissonnante.

Je ne veux pas vous écouter... Je veux savoir qui a sonné.

GEORGE

Ton mari est en train de... et tu veux savoir qui a sonné?

HONEY

Qui a sonné? Quelqu'un a sonné!

GEORGE, étonné soudain,
comme si quelque chose lui apparaissait. Il a une idée.

... Quelqu'un...

HONEY

A SONNÉ!

GEORGE

... quelqu'un... a sonné... oui... ouiiiiiiii...

HONEY

La cloche... sonne...

GEORGE, qui réfléchit très vite.

Oui... on a sonné... et c'était... quelqu'un...

HONEY

... quelqu'un...

GEORGE, qui a trouvé et qui formule.

... quelqu'un a sonné... et c'était quelqu'un... qui... J'AI TROUVÉ! J'AI TROUVÉ, MARTHA!... c'était quelqu'un qui apportait un télégramme...

et dans ce télégramme... on parlait de... notre
fils... NOTRE FILS! *(Presque dans un murmure.)* C'était
un télégramme... On a sonné... et c'était un télégramme... et c'était au sujet de notre fils... et dans
ce télégramme... on nous apprenait que notre
fils... on nous disait... *(Un temps.)* MOOORT!...
que notre fils est... MORT!

> HONEY, sur le point de vomir.

Oh!... non...

> GEORGE, se mettant « ça » dans la tête.

Notre fils est... mort... Et... Martha ne le sait
pas... Je n'ai pas encore prévenu... Martha.

> HONEY

Non... non... non...

> GEORGE, doucement. Froidement.

Notre fils est mort et Martha ne le sait pas.

> HONEY

Oh!... mon Dieu!... Non!

> GEORGE, à Honey. Lentement.
> Posément. Froidement.

Et ce n'est pas vous qui le lui apprendrez, hein?

> HONEY, en larmes.

Votre fils est mort.

> GEORGE

Je le lui dirai, *moi*... au bon moment. Je le lui
dirai moi-même.

HONEY, quasi défaillante.

J'ai mal... au cœur...

GEORGE, il se détourne et doucement.

Ah oui? C'est... très bien... *(Rire de Martha.)* Hé!... écoutez... ça!

HONEY

Je vais... mourir.

GEORGE, calme.

Bon... bon... Allez-y! Continuez! *(Doucement, comme s'il avait peur que Martha l'entende.)* Martha, Martha? J'ai une terrible nouvelle... pour toi. *(Il a un étrange demi-sourire.)* C'est... au sujet de notre fils. *(Un temps.)* Il est mort. Tu m'entends, Martha? Notre petit garçon est mort!

Il se met à rire, très doucement... un rire nerveux, silencieux et fou, mêlé de larmes.

ACTE III

EXORCISMES

MARTHA, off. Haut.

Hé! Ho! *(Elle entre, se parlant à elle-même.)* Hé!
y'a du monde par-là? *(Il est évident que cela lui est
égal.)* Alors, on me laisse tomber? On m'écrase
comme... une punaise?... On me jette comme une
vieille godasse?... George? *(Comme si elle le cherchait du regard.)* George? *(Silence.)* George, qu'est-
ce que t'es encore en train de fabriquer? Tu te
caches ou quoi? *(Silence.)* GEORGE! *(Silence.)* Oh!
bon Dieu de... *(Elle se dirige vers le bar et va littéralement se jouer à elle-même la scène qui suit.)* Dé...
lai... ssée! Aban... donnée! Perdue dans le froid
comme un pauvre vieux chat! Ha!... *(Imitant
George.)* « *Tu veux boire quelque chose, Martha?* »
Merci, merci, George... tu es très gentil... « *Non,
Martha, non... tu sais bien que je ferais n'importe quoi
pour toi...* » C'est vrai, George? Moi aussi, je
ferais n'importe quoi pour toi. « *C'est vrai, Martha?* »
Mais bien sûr, George! « *Martha, je t'ai mal jugée...* »
Moi aussi, George, je t'ai mal jugé. *(Fin du dia-
logue imaginaire. Elle crie.)* HÉ! Y'A DU MONDE? *(Un
temps.)* « Comment sauter la patronne! » *(Elle*

rit, à ce souvenir; se laisse tomber dans un fauteuil. Calme, maintenant. Elle semble vaincue; elle dit, doucement.) Rien à craindre!... *(Plus doucement encore.)* Je ne risque rien... *(Parlant « bébé » et comme s'adressant à son père.)* Papa? Papa? Martha est abandonnée... Abandonnée à ses penchants vicieux... *(Elle cherche la pendule du regard.)* à l'heure H du matin, papa-la-souris... Hé! dis, c'est vrai que tu as les yeux rouges... à force de pleurer tout le temps, hein, papa? Mais oui, tu pleures touuuout le temps! *(Elle hurle sans transition.)* JE VOUS DONNE CINQ MINUTES POUR SORTIR DE VOS CACHETTES, bande de connards! *(Un temps.)* Moi aussi je pleure tout le temps... mais... ça se passe en dedans... comme ça personne ne peut voir. Je pleure tout le temps. Et Jojo aussi pleure tout le temps. Nous pleurons tout le temps, tous les deux et après... Nous recueillons nos larmes et nous les mettons dans le frigidaire dans les petits bacs à glace... *(Elle se met à rire.)* jusqu'à ce qu'elles soient toutes gelées... *(Elle rit plus haut.)* et... après... nous les mettons dans... nos... verres. *(Elle rit encore mais sur un autre registre. Un temps.)* Fini! Lessivé! Fichu! Oui, c'est fini! *(Triste.)* J'ai des essuie-glaces devant les yeux, des essuie-larmes... Mais c'est parce que je t'ai épousé... chéri!... Tiens, on dirait une chanson, ça... Bientôt, Martha, tu pourras écrire des chansons... *(Elle fait tinter les glaçons dans son verre.)* DING! *(Elle recommence.)* DING! *(Elle a un rire. Elle continue.)* DING!... DING!... DING!... DING!... *(Nick entre, comme Martha est en train de faire tinter les glaçons. Il reste un instant à l'entrée du vestibule. Puis s'avance.)*

NICK

Bon Dieu! vous êtes devenue folle, vous aussi?

MARTHA

Ding!

NICK

Je vous demande si vous êtes folle.

MARTHA réfléchit.

Sans doute... sans doute.

NICK

Vous êtes tous devenus fous : je descends et qu'est-ce que je vois...

MARTHA, morne.

Qu'est-ce que tu vois?

NICK

... ma femme qui s'est planquée dans les toilettes, qui berce une bouteille dans ses bras et qui me fait de l'œil... oui, qui me fait de l'œil!

MARTHA, sinistre.

Et elle ne t'en avait encore jamais fait... Ça, par exemple!

NICK

Et elle était de nouveau couchée sur le carrelage, les genoux au menton... en train de gratter l'étiquette de la bouteille... de la bouteille de cognac...

MARTHA

On ne voudra pas me rembourser la consigne, cette fois...

NICK

Alors je lui demande qu'est-ce qui se passe et elle me fait : « Chchchchchchut! Personne ne sait que je suis là... » Bon, je reviens ici et je vous trouve là, assise, en train de faire DING!

MARTHA

DING!

NICK

Vous êtes tous devenus fous!

MARTHA

Oui. Triste mais vrai.

NICK

Où est votre mari?

MARTHA

Volatilisé! Pfft!

NICK

Tous dingues!

MARTHA s'amuse à prendre
une sorte d'accent paysan.

Hêêê... ça c'est la solution qui nous rest' quand l'irréalité du monde pès' trop lourd sur nos pauv' p'tit' têt'. *(Voix normale.)* Détends-toi... Laisse-toi aller... dis-toi bien que tu ne vaux pas plus cher que les autres...

NICK, las.

Je crois que si.

MARTHA, qui va pour boire.

Dans certains domaines, tu fais quand même des bides, hein ?

NICK

Pardon !

MARTHA, trop haut.

Je dis que dans certains domaines, t'es pas tellement brillant...

NICK, trop haut, lui aussi.

Je regrette de vous avoir déçue.

MARTHA, criant.

Je n'ai pas dit que j'avais été déçue, crétin !

NICK

Vous devriez voir ce que je donne quand je n'ai pas bu et alors, peut-être...

MARTHA, continuant de crier.

Je ne parle pas de tes possibilités mais de ta dernière performance, crétin !

NICK, doucement.

Oh !...

MARTHA, ton « professoral ».

Tu as des possibilités incontestables. C'est... certain... *(Elle fronce les sourcils.)* ... absolument

certain. Il y a même longtemps que je n'avais pas
rencontré quelqu'un d'aussi doué... Pourtant,
chéri, tu as certainement raté notre affaire.

NICK, piqué au vif.

Tout le monde est un raté, pour vous. Votre
mari est un raté. Je suis un raté...

MARTHA, ton triste et supérieur.

Vous êtes tous des ratés. Moi, je suis la Grande
Terre Mère. Vous, vous êtes tous des ratés. *(Comme
si elle se parlait — plus ou moins — à elle-même.)*
Et je me dégoûte!... *(Un temps.)* Je passe mon
temps en coucheries... sinistres, sans intérêt...
(Elle rit, morne.) ... si on peut appeler ça *coucher.*
« Sauter la patronne. » Ah là là!... Y'aurait de
quoi rire. Une bande de jeunes crétins alcooliques... et impuissants! Martha roule de la prunelle et les crétins sourient, roulent aussi de la
prunelle... et sourient encore... Alors, Martha se
lèche les babines. Alors les crétins se précipitent
vers le bar pour se donner un peu de courage...
(Un temps.) Et ils se donnent un tout petit peu de
courage... et se jettent sur la vieille Martha... Mais
elle les laisse mijoter un peu... pour leur exciter...
l'imagination... Alors, ils foncent de nouveau vers le
bar pour s'en jeter encore un... pendant que leurs
petites épouses chéries prennent des airs *(Elle
mime.)* affreusement pincés... Alors, du coup, ils
se ruent encore une fois vers le bar où ils achèvent
de se bourrer... pendant que la petite Martha,
assise dans un coin, attend, avec les jupes par-
dessus la tête... et étouffe... — tu peux pas savoir

ce qu'on manque d'air avec ses jupes par-dessus la tête — et attend que les petits crétins se décident à y aller... Alors, finalement, ils prennent leur courage à deux mains et... et... voilà... c'est tout!... *(Un temps.)* Parfois, les possibilités apparaissent excellentes mais... *(Elle branle la tête de gauche à droite et de droite à gauche.)* ttt... ttt... ttt... ttt... C'est tout! *(Enjouée.)* Et voilà comment ça se passe dans une société civilisée! *(A elle-même.)* Pauvres *splendides* crétins! Pauvres chéris! *(A Nick. Grave.)* Il n'y a eu qu'un homme, dans ma vie, qui m'ait rendue heureuse. Un seul homme!

NICK

Le... ce fameux type?... Le tondeur de gazon!

MARTHA

Non... celui-là, je l'ai oublié... quand je pense à lui, à notre histoire... c'est comme si j'étais un voyeur. Non... *(Un temps.)* Ce n'est pas de lui que je veux parler... C'est de George, évidemment. *(Nick se tait.)* Hé oui!... de George... mon mari!

NICK, avec un léger ricanement.

Vous plaisantez, hein?

MARTHA

Ah! tu crois?

NICK

Ce n'est quand même pas *lui*...

MARTHA

Si, c'est *lui!*

NICK, comme s'il s'agissait d'une plaisanterie.

D'accord, d'accord...

MARTHA

Tu ne le crois pas?

NICK, id.

Mais si... je veux bien...

MARTHA

Tu te fies toujours aux apparences, hein, toi?

NICK

Ecoutez, je vous en prie...

MARTHA

... George qui se cache en ce moment quelque part dans le noir... George qui est si bon pour moi et que je traîne dans la boue; qui me comprend et que je repousse; qui peut me faire rire... mais moi, je crèverais plutôt que de rire; qui me tient dans ses bras, la nuit, pour me réchauffer... et que moi je mords jusqu'au sang; qui comprend tous nos jeux, même si j'en change tout le temps les règles; qui sait me rendre heureuse... mais... *je ne veux pas* être heureuse! *(Un temps.)* Ce n'est pas vrai : j'ai envie d'être heureuse. *(Un temps.)* George et Martha : c'est une histoire triste, triste, triste!

NICK, en écho. Toujours sceptique.

Triste!

MARTHA

... George à qui je ne pardonnerai pas d'avoir jeté l'ancre ici, un jour... de m'avoir regardée... et d'avoir dit : « Oui, celle-là fera l'affaire!... » Mais qui a aussi commis l'erreur ignoble, blessante et regrettable de m'aimer et qui sera puni pour ça! *(Un temps.)* George et Martha... : c'est sinistre!

NICK, id.

Sinistre!

MARTHA

Qui accepte tout au point que c'en est inacceptable; qui est gentil au point que c'en est cruel; qui comprend ce qui est incompréhensible...

NICK

George et Martha : sinistre, sinistre!

MARTHA

Un jour... non... ou plutôt une nuit... une de ces nuits idiotes et pourries d'alcool... j'irai trop loin... je lui casserai les reins... ou je le balancerai pour toujours... *(Un temps.)* C'est tout ce que je mérite.

NICK, cynique.

A mon avis, il n'a déjà plus une seule vertèbre en bon état, vous savez.

MARTHA, riant.

Tu crois ça? C'est ce que tu crois? Pauvre petit! Tu passes ton temps penché au-dessus de ton microphone...

NICK

Microscope...

MARTHA

Oui... c'est ça... et tu ne vois plus rien. Tu vois tout mais tu ne comprends rien... Tu vois de petites taches et de petites saloperies et c'est tout... et t'es content.

NICK

J'arrive à voir si un homme a les reins brisés. Ça, je le vois!

MARTHA

Ah oui?

NICK

Oui.

MARTHA

Ah! t'en sais pas lourd, crois-moi! *(Un temps.)* Et tu voudrais diriger le monde, hein?

NICK

Ecoutez, ça suffit comme ça...

MARTHA

Alors, toi, tu crois qu'un homme a les reins brisés parce qu'il fait le clown et qu'il marche plié en deux, hein? C'est ce que tu crois, hein?

NICK

J'ai dit que j'en ai marre, vous entendez?

MARTHA

Hoooo! Le taureau voit rouge? Le petit taureau oublie qu'il est un bœuf? Ha, ha, ha, ha!

NICK, piqué au vif, mais calme.

Vous... vous frappez n'importe où, hein?

MARTHA, triomphante.
Elle a un geste de faucheur.

Râââââh!

NICK

Oui, n'importe où!

MARTHA

Râââh! Je suis une vieille mitrailleuse! *(Geste de faucher à la mitrailleuse.)* Ta ta ta ta ta ta ta ta!

NICK, étonné.

Une vraie boucherie... sans raison... Pour rien...

MARTHA

Ah! Pauvre petit minable!

NICK

Vous tirez au hasard... hein? les yeux fermés...

On sonne à la porte.

MARTHA

Va ouvrir.

NICK, surpris.

Qu'est-ce que vous dites?

MARTHA

J'ai dit : va ouvrir. Qu'est-ce qui t'arrive? T'es
sourd?

NICK, comme s'il doutait
de ce qu'il entend.

Vous... voulez que... j'aille ouvrir?

MARTHA

Exactement, petit futé, va ouvrir. Il y a quand
même quelque chose que tu es capable de faire,
non? Ou bien tu es encore trop soûl? Tu n'arrives
même pas à soulever un loquet? Ça non plus?

NICK

Ecoutez, ce n'est pas la peine de...

On sonne encore.

MARTHA, haut.

Va ouvrir! *(Plus bas.)* Tu peux faire le boy ici
pendant quelque temps. Je t'engage tout de suite.

NICK, colère « noble » et soutenue.

Ecoutez, madame, je ne suis pas encore votre
valet!

MARTHA, gaiement.

Mais si, mais si! Vous avez de l'ambition,
n'est-ce pas, mon garçon! Ça n'est tout de même
pas par folle passion que vous m'avez poursuivie
jusque dans la cuisine et les escaliers, n'est-ce pas?
Vous pensiez tout de même un tout petit peu à

votre avenir et à votre carrière, n'est-ce pas? Eh
bien, ça n'est pas mauvais pour votre avancement
de me servir de boy.

NICK

Pour vous, il n'y a pas de limites, hein?

> On sonne de nouveau.

MARTHA, calme, sûre d'elle-même.

Hé non! bébé, aucune! Va ouvrir. *(Nick hésite.)*
Ecoute, mon petit, est-ce que tu crois qu'après
avoir fourré ta main dans le sac, tu vas pouvoir l'en
retirer quand il te plaira? Hé non! t'es coincé
pour un bout de temps... Allez, au boulot!

NICK

Sans raison... comme ça... pour le plaisir...

MARTHA

Allez, allez... Fais ce que je te dis... Montre à
la vieille Martha que tu es au moins capable de
quelque chose. Hein? Allons, au boulot!

NICK réfléchit, cède
et va vers la porte. On sonne. Entre ses dents.

J'y vais. Oui, d'accord, j'y vais!

MARTHA bat des mains.

Ha! ha! Merveilleux! Magnifique! *(Elle chante.)*
   « C'est mon gigolo,
   « Et quand je m' promèn'
   « Y'a les gens qui dis'
   « Ah qu'est-ce qu'il est beau! »

NICK

Taisez-vous!

MARTHA, qui se retient de rire.

Excuse-moi, mon petit. Allez, vas-y... Va ouvrir
la petite porte mignonne.

NICK, bas. Rauque.

Bon Dieu!...

Il ouvre la porte d'un coup. Une main apparaît qui tend un gros bouquet de fleurs.
Nick ouvre de grands yeux, cherchant à
deviner qui est derrière ce bouquet.

MARTHA

Oh! comme c'est joli!

GEORGE, il s'encadre dans la porte.
Le bouquet dissimule son visage.
Il parle d'une voix de fausset, digne,
imitant une vieille mendiante mexicaine.

Flores! Flores para los muertos! Flores!...

MARTHA

Ha, ha, ha, ha!...

GEORGE, il avance d'un pas,
se découvre, voit Nick. Son visage rayonne
et il ouvre les bras.

Mon petit garçon! Tu es revenu pour ton anniversaire! Enfin!

NICK recule. Froid.

Je vous en prie...

MARTHA

Ha, ha, ha, ha! Mais non, George! Lui, c'est le boy!

GEORGE

Hein? Vraiment? Ce n'est pas notre cher petit enfant, notre petit Jimmy? Notre petite production cent pour cent américaine?

MARTHA, *gloussant.*

Ho!... j'espère bien que non!... En tout cas, si c'est lui, il s'est vraiment comporté d'une drôle de façon avec sa maman!

GEORGE, *maniaque, plein de tics, agité.*

Ach so? Was? Was? Coquin, coquin, coquin, hé? *(Affectant une apparente timidité.)* Je... je... je... vous... ai a-a-a-apporté... ces ces ces... fleurs, Ma... Martha... par par ce ce que... je... *(Changement de ton brusque.)* Hé, merde! Voilà! *(Il les lui tend brutalement.)*

MARTHA

Des pensées! du romarin! du sang! Mon bouquet de mariée!

NICK, *se dirigeant vers la porte.*

Bon, si vous n'y voyez pas d'inconvénient, je crois que je vais...

MARTHA

Ach! So! Nein! Reste ici, là! Sers à boire à mon mari.

NICK

Ne comptez pas sur moi!

GEORGE, gentiment. Comme s'il prenait
la défense de Nick et comme s'il sermonnait Martha.

Non, Martha, voyons... Ça, c'est trop. C'est pas
bien. C'est ton petit boy, chérie, ce n'est pas le
mien.

NICK

Je ne suis le boy de personne!

GEORGE et MARTHA, ensemble, ils scandent.

Un, deux!... *(Et chantent.)* « Je ne suis le boy de
personne... » *(Ils éclatent de rire.)*

NICK

Sales...

GEORGE achève la réplique de Nick.

Gosses! Hein? C'est ça? Des gosses vicelards
qui montent des farces... tellement tristes! Oh!
oh!... et qui traversent la vie... hop, hop! *(Il
mime en sautant d'un pied sur l'autre.)* ... hop!
Comme on joue à la marelle et et cætera et cætera.
C'est bien ça?

NICK

A peu près ça.

GEORGE

Bon, eh bien maintenant tu vas aller jouer à
l'homme ailleurs, hein...

MARTHA parle « petit nègre ».

Lui y'en a pas pouvoi! Lui y'en a to plein d'alcool!

GEORGE lui aussi parle « petit nègre ».

Vraiment, petit garçon? *(Il tend le bouquet à Nick. Voix normale.)* Tiens, mets ça dans un vase avec du gin!

Nick prend le bouquet, le regarde, le jette par terre.

MARTHA, faussement désolée.

Oooooooh!

GEORGE

Ho! ça c'est terrible... Faire ça aux pétunias, et aux pensées de Martha, c'est terrible!...

MARTHA

Oh! ce sont des pétunias?

GEORGE, comme s'il parlait à un bébé.

Ouiii... Et ze suis allé les cueillir au clair de lune, pour Martha, cette nuit... et pour l'anniversaire de notre petit enfant... demain.

MARTHA, précise.

Il n'y a pas de lune. Je l'ai vu se coucher, par la fenêtre de ma chambre.

GEORGE, faussement enjoué.

Par la fenêtre de la chambre? *(Voix normale.)* Mais si, il y avait de la lune.

MARTHA, trop patiente. Avec un rire.
Et moi je dis qu'il n'y avait pas de lune.

GEORGE
Si, il y en avait. Et il y en a!

MARTHA
Il n'y a pas de lune. Elle s'est couchée!

GEORGE
Il y a de la lune. Elle s'est levée.

MARTHA, comme si elle s'efforçait de rester polie.
Je crois que tu te trompes.

GEORGE, trop gai.
Non! non!

MARTHA, entre ses dents.
Il n'y a pas de lune!

GEORGE
Ma chère Martha.. Je n'ai pas cueilli des pétunias en pleine obscurité... voyons... Je ne suis pas allé en tâtonnant arracher des pétunias dans la serre de papa!

MARTHA
Si! C'est ce que tu as fait!

GEORGE
Martha, ma chère Martha... Je ne cueille pas des fleurs dans le noir. Je n'ai jamais cambriolé une serre sans être éclairé par la lumière divine!

MARTHA, catégorique.

Il n'y a pas de lune. La lune s'est couchée !

GEORGE, avec une sorte de logique.

C'est possible, c'est possible, ô ma chaste Martha ! La lune a très bien pu se coucher... mais, après, elle est revenue.

MARTHA

La lune ne revient pas... quand elle est couchée, elle reste couchée !

GEORGE, qui commence à sortir ses griffes.

Tu ne sais *rien*. Si la lune se couche, forcément elle se lève.

MARTHA

C'est faux et archi-faux !

GEORGE, faussement navré.

Quelle ignorance ! Quelle ignorance !

MARTHA

Fais attention... George ! Ne traite pas n'importe qui d'ignorant...

GEORGE, l'interrompant.

Un jour... alors que je croisais au large de Majorque et que je buvais un verre avec un journaliste de gauche en train de me parler de l'œuvre admirable de Roosevelt, la lune s'est couchée... puis elle a réfléchi... pesé le pour et le contre...

vous voyez ce que je veux dire, hein?... et alors, hop! elle s'est de nouveau levée. Exactement comme elle l'a fait cette nuit.

MARTHA

Ce n'est pas vrai. C'est un mensonge!

GEORGE

Pour toi, Martha — et tu devrais faire attention... — tout est mensonge? *(A Nick.)* N'est-ce pas, mon ami?

NICK, sec.

Je n'en sais rien. Je ne sais jamais quand vous mentez...

MARTHA

Tout à fait juste, ça!

GEORGE

Pourquoi le sauriez-vous?

MARTHA

Et ça aussi, très juste!

GEORGE

Quoi qu'il en soit, alors que je croisais au large de Majorque...

MARTHA

Tu n'as jamais croisé au large de Majorque...

GEORGE, doucement offusqué.

Martha...

MARTHA

Tu n'as même jamais vu la Méditerranée...
Jamais... zéro!

GEORGE

Si si, je l'ai vue! Mon papa et ma maman me
l'ont montrée, un jour, pour me récompenser de
mon travail en classe!

MARTHA

Menteur! Menteur!

NICK

C'était après que vous les ayez tués?

> George et Martha lui font face et le re-
> gardent. Il y a un silence, bref et tendu.

GEORGE, avec défi.

Peut-être que oui.

MARTHA

Et peut-être que non.

NICK

Bon Dieu!...

> George ramasse brusquement le bouquet,
> le remue comme un plumeau sous le nez
> de Nick et recule ensuite.

GEORGE, comme s'il provoquait un fauve.

Râââh!

9

NICK

Allez vous faire pendre!

GEORGE, à Nick.

Illusion! Vérité! Comment faire la différence, hein, petit?

MARTHA

Vérité ou illusion, tu n'as quand même jamais vu la Méditerranée!

GEORGE, avec une logique admirable.

Si je n'ai jamais été en Méditerranée, comment suis-je arrivé en mer Egée? Hein?

MARTHA

Par les terres!

NICK, haussant les épaules.

C'est ça!

GEORGE

Dis, le boy, occupe-toi de tes oignons, hein?

NICK

Je ne suis pas un boy.

GEORGE

Ecoute, je connais la musique! T'es zéro au lit, *donc* t'es un boy!

NICK

Je ne suis pas un boy!

GEORGE

Ah oui? Alors *(Il regarde Martha et Nick.)* vous auriez quand même réussi à faire quelque chose au pieu? Oui? *(Il fait mine de respirer avec difficulté et s'agite fébrilement.)* Il y aurait quelqu'un qui oserait mentir, ici? Quelqu'un qui ne joue pas franc jeu? Oui? Allons, allons, qui est-ce qui ment? Martha? Allons!

NICK, un temps.
Calme, mais sur un ton de supplique.

Dites-lui que je ne suis pas un boy!

MARTHA, un temps. Bas.
Elle baisse la tête.

Non, tu n'es pas un boy!

GEORGE, avec un soupir
de tristesse et de soulagement.

Ainsi soit-il!

MARTHA, morne.

Vérité ou illusion... George, tu ne connais pas la différence.

GEORGE

Non, mais il faut faire comme si cette différence existait.

MARTHA

Amen.

GEORGE, brandissant les fleurs.

Am, stram, gram, pique et pique... *(Martha et Nick ont comme un rire.)* Hein? C'est comme ça qu'on joue à colin-maillard, hein?

NICK, reconnaissant. A Martha.

Merci !

MARTHA

La ferme !

GEORGE, haut.

J'ai dit : alors c'est comme ça qu'on joue à colin-maillard ?

MARTHA, avec irritation.

Ouais, ouais... Ça va !

GEORGE, il prend une fleur
et la lance comme un javelot, vers Martha.

Am, stram, gram !

MARTHA

Arrête, George !

GEORGE

Pique et pique !

Il lance une autre fleur.

NICK

Arrêtez ça !

GEORGE

Ta gueule, étalon !

NICK

Je ne suis pas un étalon !

GEORGE lance une fleur à Nick.

Am, stram...! Alors, t'es un boy! C'est l'un ou l'autre. Choisis! Mais, dans un cas comme dans l'autre... *(Il lui lance encore une fleur.)* ... grrram! tu me dégoûtes.

MARTHA

Qu'est-ce que ça peut te faire, George!

GEORGE lui lance une fleur.

Am, stram!... Rien du tout. Dans un cas comme dans l'autre... j'en ai marre.

MARTHA

Arrête de me lancer tes sacrés machins!

GEORGE

C'est l'un ou l'autre... Am! *(Il lui lance une fleur.)* Stram!

NICK, à Martha.

Vous voulez que... je m'occupe de lui.

MARTHA

Laisse-le tranquille.

GEORGE

Si tu es un boy, bébé, tu t'occupes de mettre de l'ordre! si tu es un étalon, tu t'occupes de ton outil! C'est l'un ou l'autre! L'un ou l'autre! Un point, c'est tout!

MARTHA, un peu effrayée.

Vérité ou illusion... ça t'est égal, George? Tout à fait égal?

GEORGE, sans lancer de fleur.

Am! stram! gram! *(Un temps.)* Tu as compris, mon chéri?

MARTHA, triste.

Oui?

GEORGE, noble, sentencieux.

Prépare ton vieux corps à de rudes épreuves, ma fille! Il nous reste encore une pièce à jouer. Et le titre c'est : « Comment élever son bébé. »

NICK, accablé. Bas.

Oh! bon Dieu de bon Dieu!...

MARTHA

George...

GEORGE

Moi, je ne veux pas d'histoires, hein! *(A Nick.)* Vous, vous n'allez pas faire de scandale, ici, pas vrai, mon garçon? Vous n'allez pas tout gâcher, hein? Vous avez toujours envie de suivre votre petit plan préparé à l'avance, hein, pour arriver dans la vie? Très bien! Alors, assieds-toi! *(Nick s'assied.)* *(A Martha.)* Et toi, ma belle, tu aimes bien t'amuser, n'est-ce pas? Comme boute-en-train, on fait pas mieux dans le genre, n'est-ce pas?

MARTHA, doucement. Elle cède.

Bon, George, bon, bon...

GEORGE, ravi.

Booooooooon! Booooooooon! *(Il jette un regard circulaire.)* Bien... C'est qu'il manque quelqu'un!

(Il fait claquer ses doigts comme s'il appelait Nick.) Hé! vous... là... vous... votre petite mémère n'est pas des nôtres?

NICK

Ecoutez, elle a eu une nuit très pénible... Elle est dans les toilettes et elle...

GEORGE

Hé là! hé là! C'est que nous ne pouvons pas jouer si tout le monde n'est pas là! C'est évident! Nous avons absolument besoin de votre petite mémère! *(Il appelle vers le hall.)* Pssssssт! Pssssssт!

NICK, comme Martha rit nerveusement.

Arrêtez, je vous prie!

GEORGE se retourne et le regarde.

Alors soulève ton derrière et ramène-nous la petite emmerdeuse. *(Nick ne bouge pas.)* Allons, bon petit chien-chien! Apporte!... Petit chien... apporte! *(Nick se lève, va pour dire quelque chose, se ravise et sort.)* Encore un nouveau jeu!...

MARTHA

Je n'aime pas ce qui va se passer.

GEORGE, tendre.

Tu sais ce qui va se passer?

MARTHA, sombre.

Non. Mais je n'aime pas ça.

GEORGE

Ça te plaira peut-être, Martha.

MARTHA

Non.

GEORGE

C'est un jeu très drôle, tu sais, Martha.

MARTHA, le priant.

Assez joué comme ça, George.

GEORGE, qui ne cache pas sa joie.

Encore un, Martha, encore un et après tout le
monde au lit! Tout le monde plie bagage et s'en
va. *(Un temps.)* Et toi et moi... eh bien!... on
monte ce vieil escalier usé par nos semelles!

MARTHA, au bord des larmes.

Non, George, non.

GEORGE, doucement.

Mais si, mon petit.

MARTHA

Je t'en prie, George, non...

GEORGE

Allons... voyons... ça sera fini avant que tu t'en
rendes compte.

MARTHA

Non, George.

GEORGE, toujours gentiment.
Comme on parle à un bébé.

Pas vouloir monter petit escalier avec petit Jojo?

MARTHA, comme un enfant qui s'endort.

Plus jouer... non moi plus jouer à ça... moi plus jouer, plus jouer...

GEORGE

Mais si, Martha, bien sûr que tu veux... tu aimes beaucoup t'amuser... beaucoup...

MARTHA, id.

Ils sont vilains, ces jeux... très vilains... Et maintenant y'en a un de nouveau?

GEORGE lui caresse les cheveux.

Tu adoreras ça, mon gros bébé.

MARTHA

Non, George.

GEORGE

Tu t'amuseras comme une petite folle.

MARTHA, tendre.
Elle va pour toucher George.

Je t'en supplie, George, on ne joue plus. Je...

GEORGE

Il lui donne une violente tape sur la main qu'elle avance vers lui.

Ne me touche pas! Garde tes pattes propres pour caresser ton étudiant! *(Martha a comme une plainte. Très brève.)* Maintenant, Martha, écoute ce que je vais te dire. Tu as passé une très bonne soirée, hein?... une très bonne nuit... et maintenant que tu es gorgée de sang, tu voudrais qu'on arrête, hein? Et moi, je te dis qu'on continue... Et je te dis que tu vas voir ce que tu vas voir et que tout ce que tu as pu montrer de tes talents, cette nuit, c'est du patronage à côté de ce que je prépare. Mais il faut que tu te secoues... allons! *(Il la gifle très légèrement.)* Allons! secouons-nous! *(Il la gifle doucement.)*

MARTHA, se secouant.

Arrête.

GEORGE, il lui donne de très légères claques.

Allons! Un peu de nerf! *(Il continue.)* Debout! En garde, mon chéri! Vas-y! Frappe des deux mains! J'ai l'intention de te sonner, tu comprends, et j'aimerais que tu encaisses debout.

Il la gifle encore. Puis la repousse. Elle se lève.

MARTHA

D'accord, George. Qu'est-ce que tu veux?

GEORGE

Un bon combat équilibré, mon chéri. C'est tout.

MARTHA

Tu l'auras.

GEORGE

Je veux te rendre folle de rage!

MARTHA

Je le suis!

GEORGE

Encore plus folle!

MARTHA

T'en fais pas pour ça!

GEORGE

Très bien, ma belle. Cette fois, on va jouer usqu'à la mort.

MARTHA

Jusqu'à *ta* mort.

GEORGE

Tu vas voir : tu vas être étonnée. Ah! voilà les petits! Tiens-toi prête!

MARTHA

> Elle va et vient comme un lutteur qui se prépare au combat.

Je suis prête.

> Entrent Nick et Honey. Nick soutenant Honey qui serre dans ses bras la bouteille de cognac.

NICK, sans joie.

Nous voilà.

HONEY, gaie.

Mia, Miaou, Mia, Miaou!

NICK

Tu es mon petit minet, Honey?

> Elle rit haut et s'assied.

HONEY

Je suis un minet, Honey.

GEORGE, à Honey.

Eh bien!... et comment va le petit minet?

HONEY

Il est mimi, minet!

> Elle rit.

NICK, bas.

Dieu de Dieu!

GEORGE

Mimi minet? Il est gentil ce minet!

MARTHA

Arrête, George.

GEORGE, à Martha.

Honey mimi minet!

> Honey est secouée de rire.

NICK

Misère!

GEORGE, il frappe dans ses mains.

Bon! Attention tout le monde! Rien ne va plus!
Tout le monde assis! *(Nick s'assied.)* Toi aussi,
Martha. C'est un vrai jeu de société.

MARTHA s'assied.

Vas-y, commence. On t'attend.

GEORGE

D'accord, les enfants? On y va!

HONEY, à George.

J'ai décidé de tout oublier. *(A Nick.)* Bonjour, toi!

GEORGE

Hein? Quoi?

MARTHA

Il fait presque jour, George...

HONEY, à George.

Je ne me rappelle plus rien et vous ne vous rappelez plus rien! *(A Nick.)* Bonjour, toi!

GEORGE

Qu'est-ce que vous dites?

HONEY, avec une légère impatience.

Vous m'avez très bien comprise. Rien. *(A Nick.)* Bonjour, toi!

GEORGE, à Honey, désignant Nick.

Vous savez tout de même qu'il est votre mari, non?

HONEY, pincée, digne.

Oui, ça, je le sais très bien.

GEORGE, à l'oreille de Honey. Bas.

Il n'y a que certaines choses, pas vrai, que vous ne voulez pas vous rappeler.

HONEY, un grand rire
pour donner le change. Puis, calme mais avec force.

Ça n'est pas que *je ne veux pas* mais que *je ne peux pas*. J'ai oublié... *(Comme si elle soufflait une bulle.)* Ffffft!... oublié! *(A Nick.)* Bonjour, toi!

GEORGE, à Nick.

Hé! bon Dieu! vous, dites bonjour à votre petit trésor, à votre petit minet!

NICK, doucement. Bébé.

Bonjour, Honey.

GEORGE

Voilà! Ça, c'est gentil!... *(Bonhomme.)* Eh bien! je crois que nous avons passé une... bonne soirée... une *très* bonne soirée, finalement... on a bavardé... on a fait connaissance... on a joué à toutes sortes de jeux... à « faire-dodo-par-terre », par exemple!...

HONEY, corrigeant.

A faire dodo sur le carrelage.

GEORGE

... sur le carrelage... on a joué aussi à « Am, stram, gram »...

HONEY

... A gratte-gratte l'étiquette...

GEORGE

... A gratte-gratte... quoi?

MARTHA

L'étiquette. A gratter l'étiquette.

HONEY, comme si elle s'excusait,
elle montre la bouteille.

Je gratte les étiquettes.

GEORGE

Nous grattons tous des étiquettes, ma petite fille... Et quand on a gratté la peau, quand on a percé le cuir, troué la graisse, fouillé à travers les muscles et farfouillé à travers les organes *(à Nick)*... quand ils existent encore... *(à Honey)* et quand on arrive enfin jusqu'à l'os... vous savez ce qu'on fait?

HONEY, très intéressée.

Non.

GEORGE

Quand on arrive à l'os, il y a encore tout un travail à faire. *(Il pointe un doigt, un léger temps, sadique.)* Hé!... c'est qu'à l'intérieur de l'os il y a quelque chose qui s'appelle... la moelle... et c'est la moelle qui est bonne, délicieuse!... C'est ça qu'il faut extraire...

HONEY

Ah! je vois!

GEORGE

La moelle. Mais parfois les os sont assez cos-
tauds, surtout quand le sujet est jeune. Voyez
par exemple notre fils...

HONEY, décontenancée.

Votre?...

GEORGE

Notre fils... Notre raison de vivre à Martha et
à moi.

NICK se dirige vers le bar.

Vous permettez que je...

GEORGE

Bien sûr... Faites donc...

MARTHA

George...

GEORGE, aimable.

Quoi donc, Martha?

MARTHA

Dis, George, où veux-tu en venir?

GEORGE, très naturel.

Mais je parle de notre fils, voyons, chérie...

MARTHA

Arrête.

GEORGE

Ça, c'est tout à fait Martha! Notre fils est de retour... Nous sommes la veille de son vingt et unième anniversaire... Nous allons fêter sa majorité demain... et que dit Martha? Elle dit qu'il ne faut pas parler de lui!

MARTHA

Arrête, maintenant, George!

GEORGE

Mais, c'est que j'ai envie, moi, de parler de lui! C'est très important! Notre petit minet... et... machin... là *(Geste vers Nick)*, le boy... ou... je ne sais pas, moi... l'étalon... c'est qu'ils ne savent presque rien de notre rejeton... et je crois... et je suis sûr... qu'ils doivent apprendre à le connaître... voyons! *(Il claque des doigts vers Nick.)* Hé! vous, pas vrai que vous avez envie de jouer à « Comment élever son bébé »?

NICK, offensé.

C'est à moi que vous claquez des doigts?

GEORGE

Exactement. *(Question affirmative.)* Vous avez envie de tout savoir au sujet de notre illustre rejeton, hein?

NICK, un temps. Bref.

Ouais. Allez-y.

GEORGE, à Honey.

Et vous, ma chère, votre intérêt à son sujet n'est pas moindre, n'est-ce pas?

HONEY, comme si elle ne comprenait pas.

Au sujet de qui?

GEORGE

De notre fils, à Martha et à moi.

HONEY, nerveuse.

Oh!... Vous avez un enfant?

Martha et Nick rient, mal à l'aise.

GEORGE

Vous ne saviez pas? C'est pas possible! Enfin... Veux-tu nous parler de lui, Martha, ou préfères-tu que je le fasse? Hein?

MARTHA, avec un sourire-rictus.

Ne fais pas ça, George!

GEORGE se frotte les mains,
très à l'aise, comme un conférencier.

Bon, bon, bon, bon, bon!... Parfait! Allons-y!... *(Un temps.)* Eh bien!... Notre fils est vraiment un très brave garçon... malgré la vie qu'il a menée à la maison. En effet, quel est l'enfant qui ne serait pas devenu complètement névrosé avec une mère du genre Martha? Une mère qui se réveille à quatre heures de l'après-midi, qui passe son temps à sauter sur le malheureux gosse, qui force la porte de la salle de bains pour le frotter sous la douche alors qu'il va sur ses dix-sept ans, qui ramène des étrangers à la maison à n'importe quelle heure...

MARTHA se lève.

ÇA VA, GEORGE!

GEORGE, offusqué,
comme si la conduite de Martha
était totalement incongrue.

Martha!

MARTHA

Ça suffit comme ça!

GEORGE, calme.

Tu veux que je te passe la parole?

HONEY, à Nick.

Mais pourquoi frotter sous la douche quelqu'un de dix-sept ans?

NICK repousse brutalement son verre.

Je t'en prie, Honey!

HONEY, dans un murmure.

Mais pourquoi?

GEORGE

Parce que c'est son gros petit bébé.

MARTHA

Parfait! *(Machinalement. Comme si elle récitait mais d'une voix au bord de se briser.)* Notre fils... Vous voulez qu'on en parle? Bon...

GEORGE

Tu veux boire un verre, Martha?

MARTHA, sombre.

Non... Oui!

NICK, à Martha, gentiment.

Vraiment... si vous ne voulez pas qu'on en parle... si vous n'avez pas envie de...

GEORGE, l'interrompant.

Hé là, vous! C'est vous qui fixez les règles du jeu, peut-être?

NICK, un temps. Pincé.

Non.

GEORGE

Ah! Bonne réponse! Vous irez loin, mon garçon! Allez, vas-y, Martha. Ton discours, s'il te plaît. On t'écoute!

MARTHA, lointaine.

Qu'est-ce qu'il y a, George?

GEORGE, comme s'il lui soufflait.

Notre fils?...

MARTHA

Ah oui!... notre fils!... Notre fils est né en sep-
tembre... au cours d'une nuit qui ressemblait...
à cette nuit... sauf qu'il y aura demain vingt et
un ans de cela...

GEORGE, ravi, calme. A Nick et Honey.

Vous voyez, hein? Je vous l'avais dit.

MARTHA

L'accouchement a été facile...

GEORGE

Hé là! Martha, non! Tu as souffert... tu as
beaucoup souffert!

MARTHA

L'accouchement a été facile... lorsque j'ai
voulu que cet enfant naisse... lorsque je me suis
détendue...

GEORGE

Ah, bien!... Ça, c'est mieux!

MARTHA

L'accouchement a été facile... lorsque j'ai
voulu que cet enfant naisse... et j'étais jeune.

GEORGE

Et moi j'étais plus jeune encore...

Il a un rire silencieux.

MARTHA

J'étais jeune et c'était un enfant rayonnant de santé, tout rose et qui criait sans arrêt, avec des membres lisses, fermes...

GEORGE

... Martha croit qu'elle a vu l'accouchement...

MARTHA

... avec des membres lisses, fermes... et sa petite tête était couverte de cheveux noirs, fins, soyeux... alors que plus tard, plus tard, il est devenu blond comme le soleil, notre fils!

GEORGE

C'était un enfant superbe!

MARTHA

Et j'avais voulu avoir un enfant... oh! comme je l'avais voulu!

GEORGE, il « l'aiguillonne ».

Un fils? une fille?

MARTHA

Un enfant! *(Plus bas.)* Un enfant. Et je l'avais, *mon* enfant.

GEORGE

Notre enfant.

MARTHA, triste.

Notre enfant. Et nous l'avons élevé... *(Rire bref, amer.)* Oui... nous l'avons élevé...

GEORGE

... avec des nounours en peluche et dans un vieux berceau de style autrichien... mais sans nourrice!

MARTHA

... avec des nounours en peluche et des poissons rouges en celluloïd qui flottaient dans sa baignoire... et quand il a été un peu plus grand, il a dormi dans un petit lit bleu pâle au fronton de paille cannée... et il arrachait la paille... avec ses petites mains... pendant qu'il dormait...

GEORGE

... pendant qu'il faisait des cauchemars.

MARTHA

... pendant qu'il *dormait*... C'était un enfant turbulent...

GEORGE, sceptique, hoche la tête et grogne.

Ah! c'est loin tout ça!

MARTHA

... pendant qu'il dormait, ...et je me souviens, quand il a été malade... pendant quatre jours... de la chambre aux rideaux vert pâle... de la bouilloire qui sifflait et brillait, éclairée par la lampe et des biscuits en forme d'animaux... et de l'arc et des flèches...

GEORGE, précis.

... des flèches avec une ventouse de caoutchouc.

MARTHA

... qu'il cachait sous son lit...

GEORGE

Et pourquoi, Martha, faisait-il cela?

MARTHA

... parce qu'il avait peur... il avait peur de...

GEORGE

Parce qu'il avait peur. C'est tout, il avait peur.

MARTHA, geste « mou » vers George
qui l'importune. Elle continue.

... et je me souviens de son goûter du dimanche...
et chaque samedi *(Elle a un sourire doux.)* il avait
droit à son bateau en banane... je prenais une
banane, je l'épluchais, je creusais tout le long...
Je disposais deux rangées de grains de raisin...
et chaque grain était un rameur... et sur les côtés,
avec des cure-dents, je piquais des tranches
d'orange... C'étaient les... BOUCLIERS.

GEORGE

Et les rames?

MARTHA, pas très sûre.

De... petites carottes?

GEORGE

Non... des mausers à champagne.

MARTHA

Non. Des carottes. Et ses yeux étaient verts...
verts avec... lorsqu'on plongeait dedans... tout au
fond... des reflets de bronze autour de l'iris... Oh!
comme ils étaient beaux ses yeux verts!

GEORGE

... bleus, verts, bruns...

MARTHA

... et comme il aimait le soleil! Il était hâlé
avant et après tout le monde... et au soleil ses
cheveux... flottaient... comme du lin...

GEORGE, en écho.

Comme du lin.

MARTHA

... Oh! le merveilleux... oui... le merveilleux
enfant!

GEORGE

Absolve, Domine, animas omnium fidelium
defunctorum ab omni vinculo delictorum.

MARTHA

... et l'école... et il nageait pendant les vacances
d'été... et il faisait de la luge en hiver...

GEORGE

Et gratia tua illis succurente mereantur eva-
dere judicium ultionis.

MARTHA, elle rit comme à se souvenir
de ce passé attendrissant.

... et lorsqu'il s'est cassé le bras... comme c'était
drôle... oh non! le pauvre petit chéri, il avait mal...
mais c'était si drôle!... C'était dans un pré et il
voyait une vache pour la première fois... Alors,
il saute dans le pré, s'avance vers la vache en
train de paître, tête basse et très occupée... et il
lui fait : « Meuh »! *(Elle rit.)* Il fait « meuh » et
la vache, tout étonnée, lève la tête et lui répond :
« Meueueuh!... » Alors voilà mon petit toréador
de trois ans qui s'enfuit à toutes jambes, trébuche,
tombe... boum!... et qui se casse le bras. *(Elle
rit.)* Pauvre petit poussin!

GEORGE

Et lucis æternæ beatitudine perfrui.

MARTHA

Et George qui pleurait! Et George qui ne savait
que pleurer! Alors j'ai pris le petit poussin dans
mes bras, avec George qui pleurnichait à côté
de moi... J'avais fabriqué une écharpe... et je le
portais à travers les prés.

GEORGE

In paradisum deducant te angeli.

MARTHA

En grandissant... et en grandissant... oh!
comme il était intelligent!... il trottinait entre
nous deux... *(Elle tend la main.)* ... en nous don-
nant la main... comme s'il attendait de nous

protection, tendresse... et amour... et comme si
ces petites mains qu'il nous tendait devaient
nous lier à lui... et nous défendre... nous protéger tous les trois de la faiblesse... de George...
et... bien sûr... en retour, de ma trop grande
autorité... comme pour se protéger... oui... et
comme pour nous protéger.

GEORGE

In memoria æterna erit justus : ab auditione
mala non timebit.

MARTHA

Si intelligent! Si intelligent!

NICK, à George.

Qu'est-ce qu'il y a? Qu'est-ce qui vous prend?

GEORGE

Chuuuut!

HONEY

Chuuuut!

NICK hausse les épaules.

Bon... bon...

MARTHA

Si beau! Si avancé pour son âge!

GEORGE, rire silencieux.

Tout est relatif...

MARTHA

C'est vrai : beau, intelligent! Parfait!

GEORGE, soupir d'indulgence.

Ah! c'est une *vraie* mère qui parle!

HONEY, brusquement;
quasi au bord des larmes.
Bouleversée par le récit lyrique de Martha.

J'ai envie d'avoir un enfant!

NICK

Honey...

HONEY, plus haut. Plus nerveuse.

Je veux un enfant!

GEORGE

Un *vrai* enfant? Ou bien... *(Imitant un ballon qui se dégonfle.)* Pchchchchch...

HONEY, en larmes.

Je veux un.enfant! Je veux avoir un bébé!

MARTHA attend que cesse l'interruption;
calme comme un orateur que rien ne presse.

Mais, hélas, cet état de grâce, cette divine perfection ne pouvait pas durer... C'était impossible à cause... à cause de la présence de George.

GEORGE, aux autres.

Ah! vous voyez? Je savais que nous allions en arriver là...

HONEY

Taisez-vous!

GEORGE comme un enfant pris en faute.
Pardon... maman.

NICK

Oui, taisez-vous!

GEORGE, il bénit Nick.
Dominus vobiscum!

MARTHA

Il y avait la présence de George. Un homme qui se noie s'accroche à ceux qui sont près de lui et les entraîne. George a essayé... oh!... mon Dieu!... comme j'ai dû me défendre! Mon Dieu! comme j'ai dû me débattre!

GEORGE rit béatement.
Ha ha ha haaaa!

MARTHA

Certains ratés ne peuvent pas supporter la valeur et le mérite des autres. La faiblesse, le vice et la médiocrité ont horreur de la force, de l'innocence et de la bonté. Et George s'acharnait.

GEORGE

Je m'acharnais comment, Martha? Raconte, raconte...

MARTHA

Que je raconte tout ce que tu as... Oh... non! Non!... Mais notre fils grandissait... il est devenu... grand. Il est devenu un jeune homme et est allé à l'école, puis au collège. C'est bien... c'est très bien comme ça.

GEORGE, sarcastique.

Oh! Martha, n'exagérons rien! Continue...

MARTHA

Non. C'est tout. C'est fini!

HONEY, bas.

Je *veux* avoir un fils.

GEORGE

Hé! attention! Tu ne peux pas t'arrêter de raconter une histoire comme ça, brutalement. Puisque tu as commencé... il faut finir, mon amour.

MARTHA

Non.

GEORGE, se frottant les mains.

Bon, alors je m'en charge.

MARTHA

Non!

GEORGE

Martha, vous voyez, s'arrête pile dès que ça commence à devenir intéressant. Dès que le bateau est un peu secoué, elle débarque. En

vérité, Martha est une petite fille incomprise...
absolument! Non seulement elle a un mari qui
est une véritable calamité... une calamité plus
jeune qu'elle tout de même... non seulement,
disais-je, elle est mariée à une calamité, mais
encore elle a quelques petits ennuis avec les boissons alcooliques, lesquelles, très précisément, n'arrivent pas à calmer sa soif...

MARTHA, morne.

Arrête, George.

GEORGE, grandiloquent et faussement ému.

... et, ô comble d'infortune! c'est que cette
pauvre fille accablée sous le faix des soucis et des
malheurs, en plus d'un père qui se soucie d'elle
comme de sa première chemise... qui ne sait même
pas si elle est morte ou vive... c'est que cette pauvre
fille, ô comble d'infortune! a un fils. Oui, elle a un
fils, qui toujours s'est défendu contre elle pied à
pied, qui n'a jamais accepté de se retourner contre
son père, qui n'a jamais voulu être brandi comme
un gourdin par une Martha décidée à se servir
de lui pour se venger du monde!

Il s'incline, comme un conférencier applaudi.

MARTHA s'avance vers lui.

Menteur! Menteur!

GEORGE, dur.

Je mens? Parfait! *(Grandiloquent.)* Un fils qui
n'a jamais renié son père, qui est au contraire venu

quêter auprès de lui des conseils... et un amour
qui ne fut point mêlé de sentiments troubles —
et tu vois ce que je veux dire, hein, Martha ? —
qui ne pouvait pas supporter cette ordure gueu-
larde et massacrante qui prétendait être sa MÈRE !
Sa MÈRE ! Ha !

MARTHA, froidement.

Parfait. Tu permets ? Un fils qui avait tellement
honte de son père qu'il m'a demandé un jour...
(Elle regarde George droit dans les yeux.) comme il
l'avait entendu dire par de méchants cama-
rades... si c'était, si c'était possible qu'il ne soit pas
notre enfant !

GEORGE

Menteuse !

MARTHA

Je mens ? Qui n'osait pas amener ses petits
amis à la maison...

GEORGE

... tant il avait honte de sa mère...

MARTHA

... de son père ! Qui n'envoie des lettres qu'à
moi !

GEORGE

Ah ! tu crois ça ? Il m'écrit aussi ! A mon
bureau !

MARTHA

Menteur !

GEORGE

J'en ai des tiroirs pleins!

MARTHA

Tu n'as pas de lettres!

GEORGE

Et toi, tu en as?

MARTHA, à Nick et Honey.

Il n'a pas de lettres! *(Elle continue son discours.)* Un fils... qui va toujours passer ses vacances d'été le plus loin possible... le plus loin possible de sa famille... en inventant n'importe quel pré-texte... parce qu'il ne peut pas supporter la vue d'un fantoche en train de tournicoter dans la maison.

GEORGE

... qui passe ses vacances d'été le plus loin pos-sible... c'est vrai! Parce qu'il n'arrive pas à trouver un coin un peu tranquille dans une mai-son pleine de bouteilles vides, de mensonges et d'individus qu'il ne connaît pas... et où une hor-rible mégère...

MARTHA

Menteur!

GEORGE

Menteur?

MARTHA

... un fils que j'ai élevé du mieux que j'ai pu... au milieu de terribles difficultés... et que j'ai voulu protéger de la corruption, de la faiblesse, de mille petites lâchetés...

GEORGE

... un fils qui préférerait, tout au fond de lui-même, n'être jamais né...

Les deux ensemble.

MARTHA

J'ai essayé... ô mon Dieu, comme j'ai essayé... La seule chose que j'ai essayé de garder pure et sans tache au milieu de cet infect charnier qu'a été notre mariage... tout au long de nuits affreuses et de journées sinistres, sous les rafales des ricanements et des sarcasmes... tout au long d'une route semée d'échecs à chaque fois plus graves... d'efforts de plus en plus désespérés et de plus en plus vains... (*Un temps.*) La seule chose, la seule créature

GEORGE

Libera me, Domine, da morte æterna, in die illa tremenda : quando cœli movendi sunt et terra : dum veneris judicare sæculum per ignem. Tremens factus, sum ego, et timeo, dum discussio venerit, atque ventura ira. Quando cœli movendi sunt et terra. Dies illa, dies iræ, calamitatis et miseriæ ; dies magna et amara valde. Dum veneris judicare sæculum per ignem. Requiem æternam dona eis Domine et lux perpetua luceat eis. Libera me, Domine, de morte æter-

que j'ai essayé de pro-
téger, de tenir à bout
de bras hors du cloaque
où s'enfonçait notre im-
monde et ignoble ma-
riage... la seule lumière
au cœur de nos ténèbres
infernales... notre FILS!

na in die illa tremenda.
Quando cœli movendi
sunt et terra; dum ve-
neris judicare sæculum
per ignem.

Ils s'arrêtent ensemble.

HONEY, se bouchant les oreilles.

ARRÊTEZ! ARRÊTEZ!

GEORGE, bénissant.

Kyrie Eleison! Christe Eleison! Kyrie Eleison!

HONEY

MAIS ARRÊTEZ!

GEORGE, surpris.

Et pourquoi, minet? Tu n'aimes pas ça?

HONEY, quasi hystérique.

Ce n'est pas... possible! Arrêtez!... pas... possible!

GEORGE, triomphant.

Qui dit ça?

HONEY

Moi! Moi!

GEORGE

Alors, dis-nous pourquoi, mon minet!

HONEY

Non!

NICK

Le jeu est bientôt fini?

HONEY

Oui, oui... c'est fini! Oui!

GEORGE

Hé là!... bientôt... mais tout à fait... *(A Martha.)* Nous avons une petite surprise à te faire, Martha. *(Un léger temps.)* A propos du cher trésor.

HONEY, dodeline de la tête.

Non, non, non...

MARTHA

C'est fini, George...

GEORGE

Non!

NICK

Laissez-la tranquille...

GEORGE

C'EST MOI, LE CHEF D'ORCHESTRE! *(A Martha. Tendre.)* Mon chéri, je crains de devoir être obligé de t'apprendre une bien mauvaise nouvelle... pour toi... heu... pour nous. Une nouvelle plutôt triste...

Honey commence à pleurer, les mains sur le visage.

MARTHA, inquiète et soupçonneuse.

Qu'est-ce que c'est?

GEORGE, tendre, doux, si étrangement tendre...

Eh bien! Martha, lorsque tu t'es absentée d'ici... pendant *(Il regarde Nick et Martha.)* votre absence à vous deux... enfin je veux dire pendant que vous étiez quelque part ensemble, hein? *(Il a un rire bref.)* ... bref, pendant votre absence qui a d'ailleurs duré un bon petit moment, hein?... eh bien la petite dame et moi étions assis là en train de bavarder de choses et d'autres... lorsque... quelqu'un a sonné...

HONEY, la tête toujours entre les mains.

On a sonné...

GEORGE

Quelqu'un a sonné et... oh... heu... je ne sais comment te dire, Martha...

MARTHA, rauque.

Dis-le!

HONEY

Non... je vous en prie.

MARTHA

Vas-y!

GEORGE

... et qui c'était?... eh bien! c'était... ce brave petit garçon de soixante-dix ans qui porte une casquette, tu vois qui je veux dire?...

MARTHA « accrochée » à l'hameçon de George.

Billy-le-fou ?

GEORGE

Voilà, Martha, c'est ça ! Billy-le-fou !... le télégraphiste... et il m'a tendu un télégramme... un télégramme qui était pour nous... et c'est de ça qu'il faut bien que je te parle...

MARTHA, d'une voix neutre ou lointaine.

Pourquoi ne l'ont-ils pas téléphoné comme d'habitude ? Pourquoi l'ont-ils apporté ?... Pourquoi, cette fois-ci...

GEORGE

Parce que certains télégrammes ne peuvent pas être téléphonés. Parce que certains doivent être remis en main propre.

MARTHA se lève.

Qu'est-ce que tu veux dire ?

GEORGE

Martha... Si tu savais comme il m'est difficile de...

HONEY

Ne le dites pas !

GEORGE, à Honey.

Vous préférez vous en charger ?

HONEY, gestes désordonnés de folle,
comme si elle se défendait contre un essaim d'abeilles.

Non, non, non, non, non...

GEORGE pousse un énorme soupir.

Ah!... oui!... eh bien! ma chère Martha, je crois que notre garçon ne sera pas là, demain, pour son anniversaire...

MARTHA

Bien sûr que si!

GEORGE

Non, Martha.

MARTHA

Et moi je dis que si!

GEORGE

Je crois que ça lui sera tout à fait impossible.

MARTHA

Non! Il sera là!

GEORGE

Martha... *(Un long temps.)* ... notre fils... est... mort. *(Silence.)* Il s'est... tué... en fin d'après-midi... *(Silence. George a une sorte de gloussement et l'on ne sait s'il maîtrise un rire.)* ... sur une route de campagne... il venait à peine de passer son permis de conduire... Il a donné un coup de volant pour éviter un hérisson et est allé de plein fouet s'écraser...

MARTHA, dure. Dressée de rage.

Tu ne... peux pas faire ça!

GEORGE

... contre un arbre.

MARTHA

Tu n'as pas le droit !

NICK, bas.

Oh ! mon Dieu !...

Honey pleure plus fort.

GEORGE, calme, apaisé.

J'ai pensé qu'il fallait que tu saches.

NICK

Oh ! mon Dieu !... non !...

MARTHA, folle de rage car,
cette fois, c'est George qui la « possède »;
c'est George qui gagne.

Non ! Non ! Tu n'as pas le droit ! Tu ne peux
pas en décider tout seul ! Je ne le tolérerai
pas !

GEORGE

Nous devrons partir vers midi, je crois...

MARTHA

Je ne te laisserai pas en décider !

GEORGE

... car, naturellement, il faudra procéder à
l'identification... prendre les mesures nécessaires...

MARTHA va pour frapper George.

Tu ne peux pas faire ça! *(Nick se lève, attrape le bras de Martha, le lui tord derrière le dos.)* Je ne te laisserai pas faire ça, ordure! *(A Nick.)* Lache-moi!

GEORGE, comme Nick maintient Martha.
Face à face. Tout près.
Trop gentil. Trop doux.

On dirait que tu ne comprends pas, Martha; je n'ai rien fait, moi. Allons, calme-toi... reprends-toi. Notre fils est mort! Tu ne peux pas te mettre ça dans la tête? Mort!

MARTHA

Tu n'as pas le droit de décider de... oh...

NICK

Madame... voyons...

MARTHA

Lache-moi!

GEORGE, comme on essaie
de convaincre un malade.

Ecoute, Martha, écoute... bien. Nous avons reçu un télégramme... Il a eu un accident d'auto et il est mort. Pfffuut! Comme ça! Alors, dis, ça te plaît ça?

MARTHA hurle. Hurlement décroissant
qui s'achève sur le souffle.

Nooooooooooooo...

GEORGE, à Nick.

Lâchez-la. *(Martha glisse... se retrouve assise par terre.)* Elle va mieux... maintenant.

MARTHA, hagarde.

Non... non... il n'est pas mort... il n'est pas **mort.**

GEORGE

Hélas! Tout ce qu'il y a de mort! Hélas! Christe Eleison! Kyrie Eleison!

MARTHA, bas.

Tu ne peux pas... Tu n'as pas le droit de décider de ça...

NICK, se penche vers elle. Doucement.

Il n'a rien décidé, madame. Il n'y peut rien. Il n'a pas le pouvoir...

HONEY, dans un cri.

Non, madame, non...

GEORGE

Il a raison, Martha. Je ne suis pas Dieu. Je n'ai aucun pouvoir sur la vie et la mort, tu sais...

MARTHA

Tu ne peux pas le tuer! Tu ne peux pas le faire mourir!

NICK

Madame... Voyons...

MARTHA

Tu ne peux pas !

GEORGE

Nous avons reçu un télégramme, Martha.

MARTHA, dressée en face de lui.

Montre-le ! Montre-le-moi ce télégramme.

GEORGE, un long temps ; puis, calme.

Je l'ai mangé.

MARTHA, un temps.
Puis avec dégoût et folle de rage.

Qu'est-ce que tu oses dire ?

GEORGE, qui retient à peine
une formidable envie d'éclater de rire.

Je... l'ai... avalé.

Martha le regarde droit un long moment,
puis lui crache au visage. George a un
sourire.

Bravo, Martha.

NICK, à George.

Vous croyez que c'est une manière de traiter quelqu'un dans de pareilles circonstances ? Hein ? Vous croyez que c'est le moment de faire d'ignobles plaisanteries ?

GEORGE claque des doigts vers Honey.

Oui ou non, est-ce que j'ai mangé ce télégramme ?

HONEY, épouvantée.

Oui, oui, vous l'avez mangé. Je vous ai vu... je vous ai vu... l'avaler tout entier.

GEORGE lui souffle.

... Comme un brave petit gars !

HONEY

... Comme un... b... bbon... petit... gars, oui.

MARTHA, à George. Dure.

Je te jure que tu me paieras ça, George.

GEORGE, haut et crachant le mépris.

TU CONNAISSAIS LES RÈGLES, MARTHA ! TU CONNAISSAIS LES RÈGLES, bon Dieu !

MARTHA

Non.

NICK, qui commence à comprendre quelque chose qu'il n'ose croire.

Mais... à quoi... jouez-vous tous les deux ?

GEORGE

J'avais le droit de le tuer, Martha, si j'en avais envie.

MARTHA

C'EST NOTRE ENFANT !

GEORGE

Oui... oui... et c'est toi qui l'as mis au monde et l'accouchement s'est très bien passé...

MARTHA

C'EST NOTRE ENFANT!

GEORGE

ET MOI JE L'AI TUÉ!

MARTHA

NON!

GEORGE

OUI!

Un long silence.

NICK, très calme.

Je crois que je commence à comprendre.

GEORGE, id.

Vraiment?

NICK, id.

Oui... Je crois que j'ai compris.

GEORGE, id.

Félicitations.

NICK, haut.

JE CROIS QUE J'AI COMPRIS, NOM DE DIEU!

GEORGE

Bien... bien... bravo!

MARTHA, triste et vaincue.

Tu n'as pas le droit... Tu n'as absolument pas
le droit...

GEORGE, tendre.

J'ai le droit, Martha. Mais nous avions oublié d'en parler, c'est tout. J'avais le droit de le tuer, quand ça me plairait.

MARTHA

Mais pourquoi? Pourquoi?

GEORGE

Tu n'as pas respecté nos règles, mon petit. Tu as parlé de lui devant des gens. Tu as parlé de lui...

Geste pour désigner Nick et Honey.

MARTHA, elle pleure.

Non... Je n'ai pas parlé de lui. Jamais.

GEORGE

Hé si!

MARTHA

A qui? A QUI?

HONEY

A moi. Vous m'avez parlé de lui.

MARTHA pleure plus encore.

J'OUBLIE... Il y a des moments... la nuit... tard dans la nuit... alors que tout le monde... parle... il y a des moments où j'oublie... et alors j'ai envie de parler de lui... mais... je... me RETIENS... je me retiens... mais j'en ai eu si souvent envie... oh!... George, si souvent!... Et tu es allé trop loin...

ça n'était pas la peine... c'était pas la peine d'aller si loin... J'ai parlé de lui, c'est vrai... mais pourquoi est-ce que tu as voulu *tout* détruire? Pourquoi est-ce que tu l'as... tué?

GEORGE

Requiescat in pace.

HONEY

Amen.

MARTHA

Ce n'était pas la peine de le supprimer, George.

GEORGE

Requiem æternam dona eis, Domine.

HONEY

Et lux perpetua luceat eis.

MARTHA

Ça n'était pas... nécessaire.

Un long temps.

GEORGE, doucement.

Le jour va bientôt se lever. Je crois que la soirée est finie.

NICK, à George. Calme.

Vous ne pouviez pas... en... avoir?

GEORGE

Nous ne pouvions pas.

MARTHA, en écho, avec George,
comme si cette réplique la ramenait vers lui.

Nous ne pouvons pas.

GEORGE, à Nick et Honey.

Allons, les enfants, au lit... Vous devriez y
être depuis longtemps déjà.

NICK tend la main à Honey.

Honey?

HONEY se lève et va vers lui.

Oui.

GEORGE

Martha est assise par terre, un bras appuyé
sur un fauteuil.

Oui, allez maintenant, vous deux.

NICK

Oui.

HONEY

Oui.

NICK

J'aimerais...

GEORGE

Bonne nuit.

NICK, un temps.

Bonne nuit.

Nick et Honey sortent. George ferme la
porte derrière eux, jette un long regard
sur la pièce, soupire, et très lentement,
très doucement, ramasse un ou deux
verres, et va les ranger sur le bar.

GEORGE

Tu veux quelque chose, Martha ?

MARTHA, le regard perdu.

Non... rien.

GEORGE

Bon... *(Un temps.)* Faut aller se coucher.

MARTHA

Oui.

GEORGE

Tu es fatiguée ?

MARTHA

Oui.

GEORGE

Moi aussi.

MARTHA

Oui.

GEORGE

Demain, c'est dimanche. Toute la journée, c'est dimanche.

MARTHA

Oui. *(Un long temps.)* Tu crois... tu crois... qu'il fallait ?

GEORGE, un temps.

Oui.

MARTHA

Tu crois... ? Il fallait... que ça arrive ?

GEORGE

Oui.

MARTHA

Moi... je ne sais pas.

GEORGE

Il était... temps.

MARTHA

Tu crois ?

GEORGE

Oui.

MARTHA, un temps.

J'ai froid.

GEORGE

Il est tard.

MARTHA

Oui.

GEORGE, un long temps.

C'est mieux, tu verras.

MARTHA, un long temps.

Je ne sais pas.

GEORGE

Tu verras...

MARTHA

Je... n'en suis pas... sûre.

GEORGE

Si.

MARTHA

Alors... rien que toi... et moi ?

GEORGE

Oui.

MARTHA

Tu ne crois pas qu'on pourrait peut-être de nouveau le...

GEORGE

Non, Martha.

MARTHA

Oui... C'est ça... non.

GEORGE

Ça va, Martha ?

MARTHA

Oui... non.

GEORGE pose doucement la main
sur son épaule. Elle renverse légèrement la tête
et il lui chante très bas.

Qui a peur de Virginia Woolf,
            Virginia Woolf,
            Virginia Woolf...

MARTHA

Moi, George... moi.

GEORGE

Qui a peur de Virginia Woolf...

MARTHA

Moi, George... moi...

TABLE

IMPRIMÉ EN FRANCE PAR BRODARD ET TAUPIN
7, bd Romain-Rolland - Montrouge - Usine de La Flèche.
LE LIVRE DE POCHE - 22, avenue Pierre 1er de Serbie - Paris.
ISBN : 2 - 253 - 01097 - 9

Le Livre de Poche illustré

Série Art

Série Planète

Série Histoire *dirigée par Gilbert Guilleminault*

Encyclopédie Larousse de poche

Bouissou (Dr R.).
Histoire de la Médecine, 2294/4.
Cazeneuve (Jean).
L'Ethnologie, 2141/7.
Friedel (Henri).
Les Conquêtes de la vie, 2285/2.
Galiana (Thomas de).
A la Conquête de l'espace, 2139/1.

Muller (J.-E.).
L'Art au XXᵉ siècle, 2286/0.

Perrin (Michel).
Histoire du Jazz, 2140/9.

Tocquet (Robert).
L'Aventure de la Vie, 2295/1.

Histoire universelle Larousse de poche

Lafforgue (Gilbert).
La Haute Antiquité (des origines à 550 av. J.-C.), 2501/2.
van Effenterre (Henri).
L'Age grec (550-270 av. J.-C.), 2314/0.
Rouche (Michel).
Les Empires universels (IIᵉ s.-IVᵉ s.), 2312/4.
Lévêque (Pierre).
Empires et Barbaries (IIIᵉ s. av. J.-C.-Iᵉʳ s. ap.), 2317/3.
Riché (Pierre).
Grandes Invasions et Empires (Vᵉ s.-Xᵉ s.), 2313/2.
Guillemain (Bernard).
L'Éveil de l'Europe (An mille à 1250), 2550/9.

Favier (Jean).
De Marco Polo à Christophe Colomb (1250-1492), 2310/8.
Morineau (Michel).
Le XVIᵉ siècle (1492-1610), 2311/6.
Pillorget (Suzanne).
Apogée et Déclin des Sociétés d'ordres (1610-1787), 2529/3.
Dreyfus (François).
Le Temps des Révolutions (1787-1870), 2315/7.
Jourcin (Albert).
Prologue à notre siècle (1871-1918), 2316/5.
Thibault (Pierre).
L'Age des dictatures (1918-1947), 2578/0.
Le Temps de la contestation (1947-1969), 2689/5.

Le Livre de Poche classique

Le Livre de Poche pratique

Méric (Philippe de).
** Le yoga pour chacun, 2514/5.
* L'ABC du yoga, 3404/8.
** Yoga sans postures, 3629/0.
Merrien (Jean).
** Naviguez ! sans voile, 2276/1.
*** Naviguez ! à la voile, 2277/9.
Monge (Jacqueline) et Villiers (Hélène).
** Le bateau de plaisance, 2515/2.
Nadaud (Jérôme).
**** Guide de la chasse, 2305/8.
Prévention routière.
Le Permis de conduire, 4086/2.
XXX
** En pleine forme avec 10 minutes
   de gymnastique par jour, 2500/4.
Aveline (Claude).
**** Le Code des jeux, 2645/7.
Berloquin (Pierre).
* Jeux alphabétiques, 3519/3.
* Jeux logiques, 3568/0.
* Jeux numériques, 3669/6.
* Jeux géométriques, 3537/5.
** Testez votre intelligence, 3915/3.
Diwo (François).
** 100 Nouveaux Jeux Vacances,
   3917/9.
Grandjean (Odette).
** 100 Krakmuk et autres jeux,
   3897/3.
La Ferté (R.) et Remondon (M.).
* 100 Jeux et problèmes, 2870/1.
La Ferté (Roger) et Diwo (François).
* 100 nouveaux jeux, 3347/9.
Le Dentu (José).
*** Bridge facile, 2837/0.
Seneca (Camil).
**** Les Échecs, 3873/4.
Boubat (Édouard).
** La Photographie, 3626/6.
Bovis (Marcel) et Caillaud (Louis).
** Initiation à la photographie noir
   et couleur, 3668/8.
Rignac (Jean).
** Les lignes de la main, 3580/5.

VI. DICTIONNAIRES, MÉTHO-DES DE LANGUES (Disques, Livres), OUVRAGES DE RÉFÉRENCES

Berman-Savio-Marcheteau.
*** Méthode 90 : Anglais, 2297/7
(Livre).

Méthode 90 : Anglais, 3472/5.
(Coffret de disques. Prix : 130 F).

Donvez (Jacques).
*** Méthode 90 : Espagnol, 2299/3
(Livre).

Méthode 90 : Espagnol, 3473/3.
(Coffret de disques. Prix : 130 F).

Jenny (Alphonse).
*** Méthode 90 : Allemand, 2298/5
(Livre).

Méthode 90 : Allemand, 3699/3.
(Coffret de disques. Prix : 130 F).

Fiocca (Vittorio).
*** Méthode 90 : Italien, 2684/6.

Dictionnaires Larousse

**** Larousse de Poche, 2288/6.
**** Français-Anglais,
Anglais-Français, 2221/7.
**** Français-Espagnol,
Espagnol-Français, 2219/1.
**** Français-Allemand,
Allemand-Français, 2220/9.
**** Français-Italien,
Italien-Français, 2218/7.
XXX Atlas de Poche, 2222/5.
Georgin (René).
** Guide de Langue française, 2551/7.
Renty (Ivan de).
**** Lexique de l'anglais des affaires,
3667/0.

Humour, Dessins, Jeux et Mots croisés

HUMOUR

Allais (Alphonse).
* **Allais... grement**, 1392/7.
* **A la une...**, 1601/1.
* **Plaisir d'Humour**, 1956/9.
Bernard (Tristan).
** **Rires et Sourires**, 3651/4.
** **Les Parents paresseux**, 3989/8.
Comtesse M. de la F.
** **L'Album de la Comtesse**, 3520/1.
Dac (Pierre).
** **L'Os à moelle**, 3937/7.
Étienne (Luc).
** **L'Art du contrepet**, 3392/5.
** **L'Art de la charade à tiroirs**, 3431/1.
Jarry (Alfred).
**** **Tout Ubu**, 838/0.
*** **La Chandelle verte**, 1623/5.
Jean-Charles.
* **Les Perles du Facteur**, 2779/4.
** **Les Nouvelles perles du Facteur**, 3968/2.
Leacock (Stephen).
* **Histoires humoristiques**, 3384/2.
Mignon (Ernest).
* **Les Mots du Général**, 3350/3.
Nègre (Hervé).
**** **Dictionnaire des histoires drôles**, t. 1, 4053/2; **** t. 2, 4054/0.
Peter (L. J.) et Hull (R.).
* **Le Principe de Peter**, 3118/4.
Ribaud (André).
** **La Cour**, 3102/8.
Rouland (Jacques).
* **Les Employés du Gag**, 3237/2.

DESSINS

Chaval.
** **L'Homme**, 3534/2.
** **L'Animalier**, 3535/9.
Effel (Jean).
LA CRÉATION DU MONDE :
** **1. Le Ciel et la Terre**, 3228/1.
** **2. Les Plantes et les Animaux**, 3304/0.
** **3. L'Homme**, 3663/9.
** **4. La Femme**, 4025/0.
**** **5. Le Roman d'Adam et Ève**, 4028/0.
Forest (Jean-Claude).
** **Barbarella**, 4055/7.
Henry (Maurice).
** **Dessins : 1930-1970**, 3613/4.

Simoen (Jean-Claude).
** **De Gaulle à travers la caricature internationale**, 3465/9.
Siné.
** **Je ne pense qu'à chat**, 2360/3.
** **Siné Massacre**, 3628/2.
Wolinski.
** **Je ne pense qu'à ça**, 3467/5.

JEUX

Aveline (Claude).
**** **Le Code des jeux**, 2645/7.
Berloquin (Pierre).
* **Jeux alphabétiques**, 3519/3.
* **Jeux logiques**, 3568/0.
* **Jeux numériques**, 3669/6.
* **Jeux géométriques**, 3537/5.
** **Testez votre intelligence**, 3915/3.
Diwo (François).
** **100 Nouveaux Jeux**, 3917/9.
Grandjean (Odette).
** **100 Krakmuk**, 3897/3.
La Ferté (R.) et Remondon (M.).
* **100 Jeux et Problèmes**, 2870/1.
La Ferté (Roger) et Diwo (François).
* **100 Nouveaux Jeux**, 3347/9.

MOTS CROISÉS

Asmodée, Hug, Jason, Théophraste et Vega.
* **Mots croisés du « Figaro »**, 2216/7.
Brouty (Guy).
* **Mots croisés de « l'Aurore »**, 3518/5.
Favalelli (Max).
* **Mots croisés**, 1er recueil, 1054/3;
* 2e recueil, 1223/4; * 3e recueil, 1463/6;
* 4e recueil, 1622/7; * 5e recueil, 3722/3.
* **Mots croisés de « L'Express »**, 3334/7.
La Ferté (Roger).
* **Mots croisés**, 2465/0.
* **Mots croisés de « France-Soir »**, 2439/5.
* **Mots croisés de « Télé 7 jours »**, 3662/1.
Lespagnol (Robert).
* **Mots croisés du « Canard Enchaîné »**, 1972/6.
* **Mots croisés du «Monde»**, 2135/9.
Scipion (Robert).
* **Mots croisés du « Nouvel Observateur »**, 3159/8.
Tristan Bernard.
* **Mots croisés**, 1522/9.

30/2624/2